EINHARD
DAS LEBEN KARLS DES GROSSEN

EINHARD

DAS LEBEN
KARLS DES GROSSEN

NEBST AUSZÜGEN AUS:
DER MÖNCH VON ST. GALLEN
ÜBER DIE TATEN
KARLS DES GROSSEN

Nach der Übersetzung
von Wilhelm Wattenbach

Neu herausgegeben von Alexander Heine

PHAIDON

© Copyright 1986 by Phaidon Verlag, Essen und Stuttgart
Gesamtherstellung: SVS, Stuttgart
Satz: Typobauer Filmsatz GmbH, Ostfildern 3
ISBN 3-88851-110-0

Inhaltsverzeichnis

Vorwort zur Neuausgabe

Nachdem die Vita Karoli schon 1521 und dann sehr häufig gedruckt worden war, hat Pertz 1829 eine Ausgabe herausgegeben, deren Text nicht überall den Vorzug vor den älteren Ausgaben verdient. Jaffé hat in seiner Ausgabe 1867 eine früher übersehene Pariser Handschrift zugrunde gelegt und endlich Walafrids Prolog damit verbunden. Waitz hat jedoch noch im selben Jahr die Überschätzung dieser Handschrift nachgewiesen, und endlich unter Benutzung neuer Hilfsmittel und Unterscheidung verschiedener Rezensionen, die vielleicht an Einhard selbst heranreichen, einen neuen besser gesicherten Text hergestellt, der auch dieser Übersetzung zugrunde liegt.

Häufig finden sich in den Handschriften das Leben Karls des Großen und die Reichsannalen als erstes und zweites Buch miteinander verbunden; als drittes tritt dann die Schrift des Mönchs von St. Gallen hinzu, in welchem man später Notker den Stammler erkannt hat.[1] Da die Reichsannalen bereits in dieser Sammlung erschienen sind[2], bot es sich an, zur Vervollständigung der zeitgenös-

---

[1] Vgl. hinten die Einleitung zu den Auszügen.
[2] Einhards Jahrbücher, hrsg. von A. Heine; Essen und Stuttgart: Phaidon 1986.

sischen Berichte über Karl den Großen die wichtigsten Ab-
schnitte aus diesem Werk hier mitabzudrucken.

Kettwig, im September 1986   M. Salzwedel

Einhards Leben

Nichts kann geeigneter sein, uns den großartigen Umschwung klar vor Augen zu stellen, den die Bemühungen Karls des Großen in der wissenschaftlichen Bildung des Abendlandes bewirkten, als ein Blick auf die Schriften, die die Geschichte seiner Zeit schildern. Während die uns in den Fortsetzungen des Fredegar vorliegende, bis zu Karls Regierungsantritt herabreichende karolingische Familienchronik in so roher, barbarischer Form abgefaßt ist, wie sie später kaum wieder vorkommt, haben wir in dem unmittelbar nach dem Tod des Kaisers geschriebenen „Leben Karls" von Einhard ein Werk, das für die folgenden Jahrhunderte in Reinheit der Sprache und kunstvoller Behandlung des Stoffs ein unübertroffenes Vorbild geblieben ist, und wie keine andere Schrift des Mittelalters das Gepräge klassischer Bildung an sich trägt. Wie groß aber der unmittelbare Anteil war, den Karl an diesem Wiedererwachen der Wissenschaft hatte, davon gibt eben Einhard das beste Zeugnis, er, der dem großen Karl die Vollendung seiner Erziehung verdankte, ja ihn seinen Freund nennen durfte, der seit seiner frühen Jugend fast ununterbrochen um ihn war und immer im Mittelpunkt des Kreises stand, den Karls Eifer für Kunst und Wissenschaft um sich gebildet hatte. Darum erhält auch sein Leben eine größere Bedeutung für uns, als das des bloßen Gelehrten und Schriftstellers, es spiegelt sich darin eine Seite von des Kaisers eigenem Leben ab. Auch die Sage hat das anerkannt: das schöne Verhältnis, das zwischen Karl und Einhard bestand, hat sie noch inniger gemacht und dem glücklichen Geliebten der Kaisertochter ein Andenken gesichert, wie es dem Verdienst des Geschichtschreibers wohl nie zu Teil geworden wäre.

Einhard – denn dies ist die bei seinen Zeitgenossen und das ganze neunte Jahrhundert hindurch allein gebräuchliche Form des Namens, während Eginhard erst im elften Jahrhundert aufkam[1], – Einhard wurde, wie sich mit ziemlicher Sicherheit annehmen läßt, in den ersten Jahren der Regierung Karls des Großen, ums Jahr 770 herum, geboren. Über seine Heimat und sein frühestes Schicksal wird uns folgendes berichtet: „Einhard wurde in Ostfranken, in dem Gau, der Moingewi (Maingau) heißt, geboren und erhielt im Kloster Fulda unter der Leitung des heiligen Märtyrers Bonifacius[2] die erste Grundlage seiner Bildung. Von da wurde er mehr wegen seiner ungewöhnlichen Fähigkeiten, die schon damals in allem seine spätere glänzende Gelehrsamkeit erwarten ließen, als wegen vornehmer Geburt, die ihn doch nicht weniger auszeichnete, durch den Abt Baugolf[3] in den Palast Karls gebracht, der bemüht war, alle Talente in seinem ganzen Reich aufzufin-

---

[1] Jaffé hat die urkundlich beglaubigte und korrektere Form Einhart vorgezogen, aber da wir auch Bernhard, Richard usw. schreiben, ziehe ich die gewöhnliche und auch den Zeitgenossen schon geläufige Form vor.

[2] Nämlich als des Schutzpatrons und geistigen Lenkers des Klosters.

[3] Baugolf, der Nachfolger des heiligen Sturm, war von 779 bis 802 Abt des Klosters Fulda.

den und auszubilden. Der kleine Mann, denn er war unansehnlich von Gestalt, erlangte nun wegen seiner Klugheit und Rechtschaffenheit einen so großem Ruhm am Hof Karls, daß es unter allen Dienern des Königs wohl keinen gab, zu dem dieser, der mächtigste und weiseste Fürst seiner Zeit, in einem so innigen und vertrauten Verhältnis stand."

Diese Angaben sind einer Vorrede zum „Leben Karls" entnommen, die von Walafrid Strabo, dem 849 gestorbenen Abt von Reichenau verfaßt ist und sich in zwei Handschriften des 15. Jahrhunderts erhalten hat[1]. Die Nachricht über seine Heimat wird durch Urkunden über Schenkungen seiner Eltern bestätigt, die er selbst geschrieben hat. Die übrigen Angaben werden durch andere Quellen bestätigt, so auch die Bemerkung über Einhards kleine Gestalt durch den Bischof Theodulf von Orleans, der ihn „Nardulus", sein Nardchen, Einardchen nennt. Ebenso nannte ihn auch Alkuin in freundschaftlich scherzhaften Versen, die den köstlichen Inhalt des kleinen Gefäßes mit Anspielung an nardus priesen.

Noch 791 hat Einhard, aller Wahrscheinlichkeit nach eben unser Autor, eine Schenkung an das Kloster Fulda unterschrieben und er war also etwas über 20 Jahre alt, als er an Karls Hof kam.

Im Jahre 782 war der um 735 in York geborene Alkuin, der Einladung Karls folgend, der ihn im Jahr zuvor in Parma kennengelernt hatte, ins Frankenreich gekommen.

---

[1] Abel hielt irriger Weise diese Vorrede für ein Strabo fälschlich zugeschriebenes späteres Machwerk, und dieser Abschnitt mußte deshalb verändert werden. In seiner Übersetzung fehlt die Vorrede, die ich nachtrug.

Der König hatte in ihm den richtigen Mann und das beste Werkzeug zur Ausführung seiner Pläne gefunden. Nun beginnt die Gründung jener Schulen und Anstalten, durch welche Karl für die wissenschaftliche Bildung des Abendlandes eine neue und feste Grundlage schuf. Noch in das Jahr 782 (?) fällt wohl das an die Geistlichkeit seines Reichs erlassene Rundschreiben des Königs, in dem er sagt: „Da es uns am Herzen liegt, daß der Zustand unserer Kirchen immer besser wird, bemühen wir uns mit wachsamem Eifer, das, was durch die Lässigkeit unserer Vorfahren beinahe zu Grunde gegangen ist, wiederherzustellen und den Wissenschaften eine neue Stätte zu bereiten, und muntern durch unser eigenes Beispiel zu fleißigem Erlernen der freien Künste auf, wen wir können. So haben wir unlängst sämtliche Bücher des Alten und Neuen Testaments, die durch die Unwissenheit der Abschreiber verdorben waren, mit Gottes Beistand aufs genaueste berichtigen lassen."

Bedeutsamer ist noch das königliche Rundschreiben aus dem Jahr 787, das in dem uns erhaltenen Exemplar besonders an den Abt Baugulf gerichtet ist, aber zugleich an alle Bischöfe und Äbte des Reichs erlassen wurde. Es heißt darin: „Es sei Eurer Gott wohlgefälligen Frömmigkeit bekannt, wie wir samt unseren Getreuen es für nützlich erachtet haben, daß die unserer Regierung anvertrauten Bischofsitze und Klöster außer einem der Ordensregel entsprechenden Lebenswandel und der Übung der heiligen Religion ihren Fleiß auch auf die Beschäftigung mit den Wissenschaften und die Unterweisung derjenigen richten, die durch die Gabe Gottes lernen können, nach der Fähigkeit eines jeden. Denn da uns in den letzten Jahren von verschiedenen Klöstern des öfteren Schreiben zukamen, in denen angezeigt wurde, wie die in denselben wohnenden

Brüder mit frommen und heiligen Gebeten für uns streiten, haben wir aus den meisten Schreiben sowohl ihren guten Willen als auch ihre ungebildeten Reden erkannt: denn was die fromme Demut innerlich treu eingab, das konnte äußerlich wegen des vernachlässigten Unterrichts die ungebildete Sprache ohne Fehler nicht ausdrücken. Darum kam die Befürchtung in uns auf, es könnte, ebenso wie die Kunst des Schreibens gering war, so auch und weit geringer als recht die zum Verständnis der heiligen Schriften nötige Bildung sein. Daher ermahnen wir Euch, nicht nur Eure wissenschaftliche Bildung nicht zu vernachlässigen, sondern auch das Ziel Eures Lernens darauf zu richten, daß Ihr leichter und richtiger in die Geheimnisse der göttlichen Schriften eindringen könnt. Es sollen aber zu diesem Zweck solche Männer gewählt werden, die den Willen und die Fähigkeit zu lernen und zugleich das Interesse haben, andere zu unterrichten."

Damit übereinstimmend befiehlt Karl in dem am 23. März 789 von Aachen aus erlassenen Reichsgesetz (Kapitulare) den Geistlichen, Leseschulen für die Knaben einzurichten; Psalmen, Noten, Gesänge, Rechnen, Grammatik in den einzelnen Klöstern und Bischofstädten lehren zu lassen und richtig geschriebene katholische Bücher zu halten. „Und laßt sie nicht durch Eure Knaben vorlesen und abschreiben und so verderben, sondern, wenn es nötig ist, ein Evangelium, einen Psalter oder ein Meßbuch abzuschreiben, sollen das erwachsene Leute mit aller Sorgfalt tun."

Der Mittelpunkt dieser wissenschaftlichen Bestrebungen war Karls Hof in Aachen, wo der König selbst das in seiner Jugend Versäumte nachzuholen suchte und den Söhnen angesehener Familien zusammen mit seinen eigenen Kindern Unterricht geben ließ. Hier erhielt auch unser Einhard seine weitere Ausbildung, und mit welchem Erfolg er Alkuins Unterricht genoß, davon legen seine Schriften nicht weniger Zeugnis ab, als die Bewunderung seiner Zeitgenossen. Mit der römischen Literatur war er aufs genaueste vertraut, Cicero, Sueton, Vergil scheint er besonders geliebt zu haben; nicht weniger bekannt waren ihm die Schriften der Kirchenväter. Seine Kenntnisse im Griechischen[1], in Mathematik und Grammatik stehen außer Zweifel; und es ist kein geringes Lob, wenn ihn in einer wissenschaftlich strebsamen Zeit der nur wenig jüngere Biograph Ludwigs des Frommen den gelehrtesten Mann seiner Zeit nennt.

Der König hatte einen wissenschaftlichen Freundeskreis um sich versammelt, dessen einzelne Mitglieder ihre gewöhnlichen Namen mit andern aus dem Altertum oder der Bibel entlehnten vertauschten, um die Fesseln abzustreifen, die die Verhältnisse des Lebens mit sich brachten. So hieß Karl selbst David, Alkuin Flaccus, Angilbert, der den König in Gedichten verherrlichte, Homer; unser Einhard, wohl einer der jüngsten des Freundschaftskreises, erhielt den Namen Beseleel oder Bezaleel. So nennt ihn Alkuin, so auch der Abt Walafrid Strabo, der zugleich seinen Namen in eine bestimmte Beziehung zu jenem alttestamentlichen Bezaleel bringt, der die Stiftshütte und die Bundeslade machte und von dem es (2. Mos. 35, 31.33) heißt: „Er hat ihn mit seinem Geist erfüllt, ihm Können und Umsicht gegeben und ihn zu jeder künstlerischen Tätigkeit befähigt. So kann er Bilder und Gegenstände entwerfen und sie in

---

[1] Diese waren vermutlich von sehr geringem Umfang.

Gold, Silber oder Bronze ausführen, Edelsteine schneiden
und fassen und Holz kunstvoll bearbeiten, in jeder künstlerischen Technik ist er erfahren." Dies gibt uns über die
Tätigkeit und das Amt Einhards sicheren Aufschluß: er
war nicht Karls Kaplan und Geheimschreiber, wozu ihn
die Sage machte, sondern sein Minister der öffentlichen
Arbeiten, wie wir jetzt sagen würden; er mußte die Bauten,
die der König unternahm, ausführen oder leiten. Auch
noch durch anderweitige Zeugnisse erhält dies seine Bestätigung. In der Geschichte der Äbte von Fontenelle wird
berichtet, daß Abt Ansegis von Karl zum Aufseher der
Bauten im Palast in Aachen gemacht worden sei und dabei
den Einhard als Vorgesetzten gehabt habe. Der berühmte
Hrabanus Maurus, Abt von Fulda und von 847 bis 856
Erzbischof von Mainz, bezeichnet seinen Freund Einhard
in dessen Grabschrift als den, „den der Fürst Karl am
eigenen Hof aufzog und durch den er viele Werke ausführte." Unter diesen „Werken" (opera) kann man kaum
etwas anderes als Bauwerke verstehen. Von seinem Studium des Vitruv gibt ein Schreiben an seinen Sohn Vussinus Zeugnis, den er zur Erläuterung dunkler Stellen dieses
Schriftstellers auf die Schachtel voll elfenbeinerner Säulen
hinweist, „die der Herr E. (wahrscheinlich der 822 gestorbene Abt Egil von Fulda) nach dem Muster der alten
Bauwerke (opera) angefertigt hat." Wem fallen hierbei
nicht die Säulen ein, die Karl zum Bau des Doms von
Aachen aus Rom und Ravenna hatte kommen lassen?
Nach allem Angeführten hat die Annahme viel Wahrscheinlichkeit, daß Einhard es war, der den Bau des noch
heute bewunderten Doms, sowie den der Mainzer Brücke
und der Paläste von Aachen und Ingelheim teils leitete,
teils ausführte. Seiner eigenen Angabe zu Folge erbaute er

die nicht unansehnliche Kirche in Michelstadt[1] und war
dabei ohne Zweifel als Baumeister nicht weniger, als als
Bauherr in Anspruch genommen.

Müssen wir uns demnach Einhards Tätigkeit am Hof
und in der Verwaltung als eine vornehmlich wissenschaftliche und künstlerische denken, so kann es nicht befremden,
daß in der politischen Geschichte sein Name nur selten
genannt wird. In dem königlichen Erlaß vom Februar 802
wird er unter den Großen aufgeführt, denen die Bewa-
chung der siebenunddreißig sächsischen Geiseln anvertraut
war: Einhard hatte zwei Edle der Angrarier bei sich, den
Fridamund, Sohn des Warmunt, und den Makrinus, Sohn
des Megitod. Im Jahr 806 wurde er, so berichtet er selbst,
nach Rom gesandt, um Zustimmung des Papstes zu der
vom Kaiser durchgeführten Teilung des Reiches einzuho-
len. Als aber der Tod von Karls älteren Söhnen eine neue
Anordnung nötig machte und der Kaiser zu diesem Zweck
im Sommer 813 einen Reichstag nach Aachen berufen
hatte, da war es der Erzählung des Ermold Nigellus zufolge
„Heinard, durch Karls Liebe geehrt, klug von Verstand,
durch Herzensgüte ausgezeichnet, der dem Kaiser zu
Füßen fiel und durch seinen weisen Rat" ihn bewog, seinen
Sohn Ludwig zum Mitregenten zu machen und ihm den
Kaisertitel zu geben.

So finden wir unsern Einhard in den verschiedensten
Beziehungen des Lebens sehr eng mit Karl verbunden. In
demselben nahen Verhältnis stand er zu dessen Sohn und
Nachfolger Ludwig, mit dem er aufgewachsen und erzogen

---

[1] *Basilicam non indecori operis* nennt er sie und erwähnt die Säulen,
Capitäle und marmornen Bilder, die in ihr waren. – Jaffé hat
nicht ohne Grund vor einer Überschätzung der Tätigkeit Einhards als Baumeister gewarnt.

war. Er erhielt von dem neuen Kaiser vielfache und un-
zweideutige Beweise seiner Dankbarkeit und seines Ver-
trauens. Noch aus dem ersten Jahr seiner Regierung, vom
11. Januar 815, datiert eine in Aachen für Einhard ausgestellte Urkunde, in der es heißt: „Es ist der Brauch der
kaiserlichen Hoheit, treue Diener durch vielfältige Gaben
zu ehren und durch große Ehren zu erhöhen. Darum hat es
uns, dem Brauch unsrer Vorfahren folgend, gefallen, einen
unserer Getreuen, namens Einhard, mit mehreren uns ge-
hörenden Besitztümern zu beschenken. Durch den treuen
und ergebenen Gehorsam, mit dem er bisher eifrig bestrebt
war, uns zu dienen, hat er solches wohl um uns verdient. Es
sei also allen unsern Getreuen kund und zu wissen getan,
daß wir unseren treuen Einhard und seiner Gemahlin
Imma in Deutschland den Ort Michelstadt im Odenwald
verliehen haben, diesen Ort mit seiner ganzen Gemarkung
und seinen Dienstleuten, außerdem auch noch das Gut
Mulinheim im Maingau, das am Ufer des Main gelegen ist
und einst dem Grafen Drogo gehört hat."

In derselben Zeit scheint Einhard in den geistlichen
Stand getreten zu sein, was dem Kaiser Ludwig neue Gelegenheit gab, ihm seine Zuneigung und Freundschaft zu
beweisen.[1] In einer am 3. Juni 815 in Aachen ausgestell-
ten kaiserlichen Urkunde für das Kloster Blandinium bei
Gent lernen wir Einhard erstmals als Abt kennen. Unge-
fähr ein Jahr später erhielt er die Abtei Fontenelle bei
Rouen, die er nach sieben Jahren an seinen Freund Ansegis
abtrat. Eine kaiserliche Urkunde vom 13. April 819 zeigt

---

[1] Mit guten Gründen hat Jaffé Einhards Eintritt in den geistlichen
Stand in Abrede gestellt; es wurden nicht selten damals Klöster
an Laien als Äbte verliehen.

ihn als Abt von St. Bavo in Gent. Daß er Abt von St. Servatius in Maastricht war, beweist eine von ihm selbst unter diesem Titel ausgestellte Urkunde aus dem Jahr 819 oder 821. Außerdem besaß er noch, wie aus seinen eigenen Angaben hervorgeht, die Abtei des hl. Chlodowald, deren Lage unbekannt ist, die Kirche Johannis des Täufers in Pavia und ein Lehen in Frideslare in Hessen.

Scheinbar hat sein Eintritt in den geistlichen Stand in seinen öffentlichen und häuslichen Verhältnissen keine große Veränderung hervorgebracht. Seine Imma blieb ihm auch weiterhin bis zu ihrem Tod eine liebe und unzertrennliche Lebensgefährtin. Und wie früher war er auch jetzt noch ständig in der Nähe des Kaisers, der seinen Umgang und seine Dienste nicht entbehren wollte. Mehrere auf den Namen Ludwigs ausgestellte amtliche Schreiben, die sich in der Sammlung von Einhards Briefen finden, geben uns über seine politische Tätigkeit und sein Verhältnis zum Kaiser Aufschluß. Als Ludwig im Jahre 817 mit seinem erstgeborenen Sohn, dem einundzwanzigjährigen Lothar, die kaiserliche Gewalt teilte, gab er diesem den bewährten Einhard als Führer und Leiter zur Seite. Wie lange dieses Verhältnis dauerte, ist ungewiß. Aber die aus dem schwachen Regiment des Kaisers entspringende, seit seiner zweiten Heirat noch mehr überhandnehmende Auflösung des Reiches, dessen höchsten Glanz er gesehen hatte, machte in Einhard den Wunsch lebendiger, sich ganz aus dem öffentlichen Leben zurückzuziehen. Schon seit Karls Tod hatte er diesen Gedanken mit sich herumgetragen. „Als ich noch bei Hofe war", schreibt er, „und weltlichen Geschäften oblag, dachte ich im stillen oftmals an die Ruhe, die ich später zu genießen wünschte. Da fand ich einen verborgenen und vom Geräusch der Welt ganz

abgelegenen Ort im Odenwald, und erhielt ihn vom Fürsten Ludwig, dem ich damals diente, zum Geschenk." Das
immer gespanntere Verhältnis zwischen dem Kaiser und
seinem Sohn Lothar mußte ihm seine Stellung und den
Aufenthalt bei Hof immer mehr verleiden und die Sehn-
sucht nach der Einsamkeit steigern. Bereits am 12. Sept.
819 stellten er und seine Frau Imma eine Urkunde aus, der
zufolge Michelstadt im Plumgau nach ihrem Tod dem
Kloster Lorsch als Eigentum zufallen sollte. Mehr und
mehr gab sich nun sein Geist einer mystisch religiösen
Richtung hin, von der seine Geschichte der Übertragung
der Heiligen Marcellinus und Petrus das beste Zeugnis
gibt.

Der Abt Hilduin von St. Denis hatte, wie in den Jahrbüchern erzählt wird, im Jahr 826 den Leib des heil. Seba-
stian von Papst Eugen II zum Geschenk erhalten. Dies
weckte in Einhard den heißen Wunsch, einen ähnlichen
Schatz für die von ihm selbst gebaute, aber noch nicht
eingeweihte[1] Kirche von Michelstadt zu erlangen. Er
schickte deshalb seinen Schreiber Ratleik nach Rom, dem
es hier auch, wiewohl nicht ohne Mühe und List, gelang,
die Leichname der Heiligen Marcellinus und Petrus an sich
zu bringen. Er schaffte sie über Pavia, St. Moritz im Wal-
lis, „durch das Gebiet der Alemannen zur burgundischen
Stadt Solodurum", von da über „Argentoratum, das jetzt
Straßburg heißt", und den Rhein hinunter nach „Michel-

---

[1] Mit dieser ausdrücklichen Angabe Einhards stehen die gleichzei-
tigen Fuldaer Annalen, die die Einweihung der Kirche ins Jahr
821 setzen, in einem unlösbaren Widerspruch. A. – Diese Eintra-
gung beruht nur auf einer Ergänzung des fast ganz unlesbaren
und beschädigten Originals von Pertz, welche vermutlich unrich-
tig ist.

stadt in dem Gebirge von Deutschland, das in neuer Zeit Odenwald heißt". Hier kamen sie gegen Ende des Jahre 827 an, aber infolge einer ihm von den Heiligen gemachten Offenbarung ließ sie Einhard im Januar des folgenden Jahres nach Mulinheim bringen. Als er bald darauf zum kaiserlichen Hoflager reiste, mußte er erfahren, daß ein Teil der heiligen Leiber unterwegs entwendet und nach Soissons gebracht worden sei; es war ihm eine Gewissenspflicht, diesen Teil nicht von dem übrigen getrennt zu lassen, und er bewog den Abt Hilduin, ihm denselben abzutreten. Anfang Mai 828 wurde die Reliquie des heil. Marcellinus aus dem Kloster St. Medardi in Soissons abgeholt und über Aachen nach Mulinheim gebracht, wo sie im Oktober eintraf. Hier nun gründete Einhard zu Ehren der Heiligen die Benediktinerabtei, die allmählich den Namen Seligenstadt erhielt und bis ans Ende des vorigen Jahrhunderts bestanden hat.

Der fromme Dienst, den er seinen beiden Heiligen widmet, nimmt von nun an unsern Einhard fast ausschließlich in Anspruch, alles andere schien ihm daneben von untergeordneter Bedeutung, und selbst in der Politik wurden sie seine Ratgeber. Eine Erzählung in seiner Geschichte der Übertragung der beiden Heiligen ist in dieser Hinsicht bemerkenswert und bezeichnend für den Standpunkt, von dem aus er jenes Werk schrieb. Einem aus Aquitanien hergebrachten Blinden namens Albrich, dem während der zwei Jahre, die er im Kloster zubrachte, jede Nacht die Heiligen im Traum erschienen, wurden einstmals eine ganz besondere Offenbarung durch den Erzengel Gabriel gemacht, die nach dessen Befehl aufgeschrieben und durch Einhard dem Kaiser mitgeteilt werden sollte. Dies geschah auch. Ludwig las die Schrift durch; „aber von dem, was er in derselben zu tun geheißen oder ermahnt worden war, führte er nur sehr wenig aus." Noch vierunddreißig Jahre nach seinem Tode hatte der fromme Kaiser diese Unterlassungssünde in den Qualen des Fegefeuers zu büßen und erschien deshalb nach der Erzählung der Fuldaer Jahrbücher seinem Sohn Ludwig klagend im Traum. Einhard scheint durch die geringe Beachtung jener Ratschläge verletzt worden zu sein, aber sein Glaube festigte sich nur noch mehr, und in dem Unglück, das im Frühjahr 830 über den Kaiser kam, sah er nur die Erfüllung der zwei Jahre vorher verkündeten, aber mißachteten Weissagungen.

Die sich täglich trauriger gestaltende Entwicklung der öffentlichen Verhältnisse, das Gefühl, mit seinem wohlgemeinten Rat nichts ausrichten können, endlich ein Milz- und Nierenleiden, das sich einstellte und ihn nie wieder verließ, das alles stimmte ihn immer trüber, zog seinen Sinn von dem Treiben der Welt ab und richtete ihn auf ein stilles, beschauliches, bloß dem Jenseits zugewandtes Leben, wie es ihm der fromme Aufenthalt am Grabe seiner Heiligen bot.

Es war im Frühjahr 830, als die offene Empörung gegen den Kaiser ausbrach und auch dessen ältester Sohn Lothar aus Italien gegen ihn heranzog. Einhard war noch bei der Kaiserin Judith in Aachen und schrieb auf ihre Bitte ohne Zweifel den schönen und bedeutsamen Brief an seinen ehemaligen Zögling, der hier wohl eine Stelle verdient.

„Welche Sorge und Bekümmernis um Eure Hoheit mich erfüllt, das kann ich Euch nicht leicht mit Worten ausdrükken. Denn immer habe ich Euch und Euren Vater gleich sehr geliebt und in gleichem Maße Euer beider Wohlergehen gewünscht, seitdem er mit Euch unter Zustimmung

seines ganzen Volks seine Würde und sein Reich geteilt und
mir geboten hat, Euch in meine Obhut zu nehmen, über
Eure Sitten zu wachen und Euch zu allem ehrbaren und
nützlichen Tun anzuhalten. Wenn Ihr auch hierin meine
Dienste weniger förderlich gefunden habt, als sie hätten
sein sollen, so fehlte doch meinerseits nicht der treue Wille
und diese Gesinnung, die heute noch lebendig ist, läßt
mich nicht schweigen, sondern verpflichtet mich, Euch
zum Heil zu raten und mit wenigen Worten vor der Gefahr
zu warnen, die Euch droht. So wisse denn Eure Hoheit,
daß es zu meiner Kenntnis gekommen ist, daß etliche Menschen, die mehr auf ihren eigenen als auf Euren Vorteil
ausgehen, Euch aufreizen und zu bewegen suchen, den
väterlichen Rat mißachtend und den schuldigen Gehorsam
verletzend, den Euch von Eurem Vater zur Regierung an-
gewiesenen Ort zu verlassen[1] und gegen seinen Willen
und Befehl zu ihm zu kommen und, so unlieb es ihm auch
ist, bei ihm zu bleiben. Kann man sich etwas Verkehrteres
und Ungebührlicheres denken? Überlegt doch, was das für
ein Rat ist und wie viel Böses er in sich trägt. Vor allem will
er Euch, wie es mir scheint, verleiten, jenes Gebot Gottes zu
mißachten, in dem er die Eltern zu ehren befiehlt, und das
lange Leben für nichts zu halten, das als Lohn für die
Befolgung dieses Gebots verheißen ist; sodann ungehorsam
zu werden und mit hochmütigem Trotz sich gegen den zu
erheben, unter den Ihr Euch mit Demut beugen solltet;
ferner durch Eure Mißachtung und Euren Ungehorsam
die Liebe ganz zu verbannen und die Zwietracht, von der

---

[1] Lothar war nach dem Wormser Reichstag im Sommer 829 nach
   Italien geschickt worden, um dem Getreibe der Parteien entrückt
   zu sein.

man zwischen Euch gar nicht sprechen dürfte, so zu steigern, daß statt der Liebe gar noch Haß ausbricht, was um jeden Preis verhütet werden muß. Denn Ihr werdet, glaube ich, wohl wissen, wie sehr ein trotziger und seinen Eltern ungehorsamer Sohn ein Abscheu ist vor dem Herrn, und daß Gott, wie Ihr im Deuteronomium lesen könnt, durch Moses geboten hat, daß er vom gesamten Volk gesteinigt werde. Darum habe ich geglaubt, Euch ermahnen zu müssen; daß Ihr nach der Euch von Gott verliehenen Klugheit die Euch drohende Gefahr vermeidet und nicht meint, es könne dieses göttliche Gebot, obwohl es im alten Gesetze steht, von irgend jemand verachtet werden. Denn es ist eines von den vielen, das unsere Meister und Lehrer, die heiligen Väter, für neue wie für alte Zeiten, für Christen wie für Juden für verbindlich erklärt haben. Ich liebe Euch, Gott weiß das, und darum wende ich mich mit meinen Ermahnungen so vertrauensvoll an Euch. Ihr aber müßt nicht die niedrige Person des Ermahnenden, sondern die Heilsamkeit des Rats berücksichtigen."

Wie wenig Erfolg diese ernsten Ratschläge und Warnungen hatten, ist bekannt. Im Mai traf Lothar in Compiegne ein und gab seine Zustimmung zu den schon vorher dort von seinem Bruder Pippin und dessen Anhang über den Kaiser und seine Gemahlin verhängten Gewaltmaßregeln. Einhard hatte sich durch die Kaiserin bewegen lassen, von der Erlaubnis, nach Seligenstadt zurückkehren zu dürfen, keinen Gebrauch zu machen, sondern ihr von Aachen nach Compiegne zu folgen, um auch noch seinen persönlichen Einfluß bei Lothar geltend zu machen. Aber unterwegs erkrankte er so schwer, daß er sich von Valenciennes zu Schiff nach Gent zurückbringen lassen mußte. Von hier aus schrieb er bittend an den Kaiser:

„Hohen Lohn könnt Ihr Euch vor Gott erwerben, wenn Ihr mich zum Dienst seiner Heiligen ziehen laßt, falls ich noch lebendig werde dahin gelangen können. Ich glaube, daß jene heiligen Märtyrer Fürsprecher für Euch bei Gott sein werden, wenn Ihr ihren Dienst dem Eurigen vorgehen laßt. Denn ich kann an keinem andern Ort Eures Reiches Euch größeren Nutzen bringen, als dort, wenn Ihr meine Bitte gewährt."

Sie wurde gewährt. Aber die Vorgänge im Reich und in der kaiserlichen Familie waren zu bedenklich, als daß er hätte die Ruhe genießen können. Von seiner eifrigen Teilnahme an dem damaligen politischen Treiben geben zwei Briefe aus jener Zeit Zeugnis. In dem einen ließ er den unterdessen in Compiegne angekommenen Lothar durch einen Bischof aus seiner Umgebung dringend um eine Zusammenkunft mit ihm ersuchen. Der zweite ist an einen Freund gerichtet:

„Über so vieles ich auch gerne etwas erfahren möchte, so bin ich doch auf zweierlei in diesem Augenblick ganz besonders gespannt: einmal nämlich, wo und wann jener große Reichstag gehalten werden soll, sodann, ob Lothar nach Italien zurückkehren oder bei seinem Vater bleiben soll? Möge es Euch nicht zu beschwerlich fallen, mir über diese beiden Dinge Nachricht zukommen zu lassen. Mehr als alles, was sonst bei Euch vorgeht, liegt mir daran, dies zu erfahren, indem es davon abhängt, was ich zu tun habe, falls mir Gott die Gnade gewährt, etwas Nützliches auszurichten zu können. Ich wünsche sehr, Dich, Du liebster meiner Freunde, bald zu sehen."

Einhard bezieht sich hier auf den Reichstag, der für den ersten Oktober und „weil der Kaiser den Deutschen mehr als den Franken traute", nach Neumagen ausgeschrieben wurde. „Ganz Deutschland strömte dort zusammen, um Ludwig beizustehen, der den Sommer über nur noch dem Namen nach Kaiser gewesen war." Sowohl diese Angabe als auch die Worte des Briefs lassen kaum daran zweifeln, daß auch Einhard sich in Neumagen einfand und bei der Versöhnung Ludwigs und Lothars mitwirkte, wozu keiner mehr als er geeignet war.

Dies scheint aber auch seine letzte politische Tätigkeit gewesen zu sein. Er zog sich ganz nach Seligenstadt zurück, um hier seinen Lebensabend ununterbrochen zuzubringen. Aber Ruhe erlangte er nicht. Er mußte noch den ganzen Jammer von Ludwigs letzten Regierungsjahren mitansehen; Krankheit brachte ihn an den Rand des Grabes. So konnte es ihm nicht schwer werden, allen Versuchungen und Aufforderungen zur Rückkehr an den Hof und zu politischer Tätigkeit zu widerstehen. Er hatte abgeschlossen mit dem Leben. „Ich bitte", schreibt er an den Kaiser, „Eure Gnade inständigst, daß Ihr Euch über einen armen sündigen Menschen, der schon alt und sehr gebrechlich ist, erbarmen und ihn aller weltlichen Sorgen ganz entheben möget. Laßt mich in Ruhe und Frieden am Grabe der Märtyrer Christi, Eurer Schutzheiligen, unter Eurem Schirm mich der Verehrung dieser Heiligen und dem Dienst Gottes unseres Herrn Jesu Christi weihen, auf daß mich jener unvermeidliche, letzte Tag, der dem Alter, in dem ich stehe, zu folgen pflegt, nicht mit überflüssigen und gleichgültigen Sorgen, sondern mit Gebet, frommem Lesen und fleißiger Betrachtung des göttlichen Wortes beschäftigt finde."

In dieser lebenssatten, nur noch auf das übersinnliche gerichteten Stimmung war es, daß Einhard, im Jahr 830, seine Geschichte der Übertragung der Heiligen Marcellinus und Petrus abfaßte, ein mit inniger Glaubenswärme, aber auch mit ermüdender Weitläufigkeit geschriebenes, mit Wundererzählungen angefülltes Werk. Eine feine, auf Stellen der Bibel und der Kirchenväter begründete Untersuchung ist seine ums Jahr 835 entstandene, dem Abt Lupus gewidmete Schrift, „Über die Verehrung des heiligen Kreuzes", in der als Beantwortung einer von Lupus ihm vorgelegten Fragen sorgfältig zwischen Anbetung und ehrfurchtsvoller Verehrung unterschieden wird, die er auch für das Kreuz in Anspruch nimmt.

In diesen letzten Teil seines Lebens fallen auch die meisten der uns erhaltenen Briefe Einhards. Sie zeigen uns ihn, wie er für Freunde, für Unterdrückte und Unglückliche besorgt und tätig ist, oft auch dem politischen Gang der Dinge teilnehmend zusieht, immer aber sich wieder entmutigt abwendet und für seinen Kummer über das Unglück des Staates in frommer Übung der Religion und in der Stille des Klosterlebens Trost sucht. „Über die Zustände bei Hof", schreibt er an einen Freund, „bitte ich Dich ganz zu schweigen, da es nicht erfreulich ist, etwas von dem, was dort vorgeht, zu hören. Von Dir und meinen übrigen Freunden, wenn mir außer Dir noch einer blieb, wünschte ich gerne Nachricht zu haben, wo Ihr seid und wie es Euch geht." „Die Umwälzung", heißt es in einem anderen Brief, „die vor kurzem in diesem Reich stattgefunden, hat mich so niedergeschlagen, daß wir nach den Worten Isophats[1] gar nicht wissen, was wir tun sollen, außer unsere Augen auf den Herrn wenden, und, wie Philo schreibt, die Hilfe Gottes anrufen, wo die menschliche aufhört."

Das schwerste Unglück aber traf Einhard im Frühjahr

[1] 2 Chron. 20, 12.

836, der Tod seiner treuen Gattin. „Alle Sorgen und aller Eifer", so schreibt er darüber an seinen Freund und Schüler Lupus, „für meine und meiner Freunde Angelegenheiten hat der bittere Schmerz erstickt, den ich über den Tod derjenigen empfinde, die mir einst die treueste Gattin, dann die teuerste Schwester und Gefährtin war." Dieser Schmerz werde noch dadurch erhöht, daß sein Glaube auf den Beistand der heiligen Märtyrer vergebens gewesen sei. „Denn welcher Sterbliche sollte nicht sein Los beweinen und sich für den unglücklichsten halten, wenn er denjenigen in der Not von sich abgewandt und unerbittlich findet, von dem er Erhörung seines Flehens hoffte?" Er wäre seinem Schmerz erlegen und in den Abgrund der Verzweiflung gefallen, wenn nicht die göttliche Barmherzigkeit seinen Blick auf das Vorbild und die Trostesworte der großen Männer früherer Zeiten gerichtet hätte. „Durch die Schriften und die heilsamen Ermahnungen Cyprians, Augustins und des Hieronymus konnte ich mein von schwerem Kummer gebeugtes Herz wieder aufrichten und habe sorgsam bei mir überlegt, was ich bei dem Tod der lieben Hausgenossin empfinden müsse, deren Sterblichkeit mehr als deren Leben ich beendigt sah." Aber nur gelindert, nicht geheilt habe er dadurch seinen Schmerz; in seinem täglichen Tun und Treiben, in seinem ganzen Haus- und Familienleben, in allen kirchlichen und weltlichen Angelegenheiten, die er zu besorgen habe, fühle er die Größe des erlittenen Verlustes. Darum glaube er auch, daß dieser Schmerz und Kummer ihn zeitlebens begleiten werde, und in Wahrheit sei es auch besser, die kurze Zeit, die er noch zu leben habe, in Traurigkeit als in Freude hinzubringen nach dem Wort des Herrn: Selig sind, die da Leid tragen.

Schon vor dem Tod seiner Imma und mit ihrer Zustimmung hatte Einhard über seine Besitztümer verfügt; Michelstadt sollte an das Kloster Lorsch fallen. Die Lehen, in
deren Besitz er war, hatte er vom Kaiser Ludwig in Erlaubnis erhalten, an die Abtei Seligenstadt übertragen zu dürfen. Einen Erben scheint er nicht hinterlassen zu haben. Im
September 819 wenigstens hatte er noch keinen Sohn. Das
beweist die schon oben erwähnte Schenkungsurkunde an
das Kloster Lorsch, in der es heißt: „Sollten wir noch
Söhne bekommen, so soll einer von ihnen uns in dieser
Besitzung mit Nießbrauchsrecht nachfolgen." Es wäre nun
gar nicht unglaublich, daß der Vussinus, den er in einem
sehr zärtlichen Brief seinen Sohn nennt, noch nach jener
Zeit geboren worden, – und daß sein geistlicher Stand diese
Möglichkeit nicht ausschloß, zeigt Einhard selbst am deut-
lichsten, indem er, obgleich damals schon Abt von Blan-
digny, Fontenelle und Gent, doch ausdrücklich auf sie
Bezug nahm, – andererseits aber wird diese Annahme
durch die Benennung „Sohn" nicht notwendig bedingt.
Vussinus kann ebensowohl ein geliebter Schüler, vielleicht
auch ein Patenkind Einhards gewesen sein, der, um auf den
Inhalt des Briefs näher einzugehen, bisher unter seiner un-
mittelbaren Aufsicht in Seligenstadt erzogen, nun zu seiner
weiteren Ausbildung auf die von dem berühmten Hrabanus Maurus geleitete Klosterschule in Fulda geschickt worden war. Und diese Auffassungsweise fände in dem sonst
sehr befremdlichen Umstand ihre Bestätigung, daß dieser
Sohn an keiner andern Stelle der überlieferten Schriften
Einhards, besonders auch nicht, wo die Veranlassung dazu
so nahe lag, in den nach dem Tod der Imma zwischen ihm
und Lupus gewechselten Briefen erwähnt wird.
Es findet sich in den Jahrbüchern von Fulda zum Jahr

836 die Angabe, daß Kaiser Ludwig nach dem Schluß des im Mai abgehaltenen Reichstages von Thionville über Frankfurt zu den Heiligen Marcellinus und Petrus gekommen und von da über Ingelheim nach Aachen zurückgekehrt sei. Sie rührt uns, diese trockene Nachricht. Denn, was er auch bei seinem Wunsch, eine aufrichtige Versöhnung mit Lothar herbeizuführen, mit Einhard zu besprechen und beraten haben mochte, wir werden wohl kaum daran zweifeln, daß die Reise des alten Kaisers nach Seligenstadt nicht weniger dadurch veranlaßt war, daß es ihn drängte, dem Einhard seine Teilnahme an dem herben Verlust, der ihn betroffen hatte, zu bezeugen und ihm Trost zu bringen, ihm, dem Spielkameraden in den Tagen der Kindheit, dem treuen Freund und Berater im Mannesalter, nun dem gleich ihm tief vom Unglück gebeugten, lebenssatten Greise. Es war wohl das letzte Mal, daß sie sich sahen. Im Juni 840 starb der Kaiser und schon seit einigen Wochen war damals auch Einhard nicht mehr unter den Lebenden, der 14. März 840 war sein Todestag. In der Kirche in Seligenstadt wurde er beigesetzt und ihm von seinem Freunde Hrabanus Maurus eine Grabschrift in sieben Distichen gedichtet, die ihm das schöne Zeugnis gibt:

Klug war er, rechtschaffen im Wandel und kundig der Rede;
   Vielen hat seine Hand Nutzen und Segen gebracht.

Von den verschiedenen schriftstellerischen Werken Einhards ist das Leben Karls des Großen zwar nicht das umfangreichste, aber dasjenige, das ihm seinen Ruhm begründet hat. Er schrieb es als gereifter Mann, etwa im 45. Lebensjahr, in der Zeit kurz nach Karls Tod, jedenfalls noch

vor dem J. 820, wie daraus hervorgeht, daß es schon im
J. 821 unter den Büchern des Klosters Sindleozes-Auva –
dies ist der ursprüngliche Name von Reichenau im Boden-
see – angeführt wird. Der Inhalt der Schrift trug ebenso
wie die Trefflichkeit ihrer Form dazu bei, daß sie gleich bei
ihrem Erscheinen die allgemeine Aufmerksamkeit und Bewunderung auf sich zog und das ganze Mittelalter hindurch das beliebteste und meist gelesenste Buch blieb.
Damit hängt es auch zusammen, daß sie, wie nicht leicht
ein anderes Buch, von späteren Schriftstellern teils ausgeschrieben, teils nachgeahmt wurde, so noch zu Einhards
Lebzeiten von den Geschichtschreibern Kaiser Ludwigs
und den Chronisten von Fulda und Fontenelle. Unter
König Arnulf machte ein Sachse, gewöhnlich der Poeta
Saxo genannt, eine metrische Umschreibung von Karls
Leben in Distichen; und noch im zwölften Jahrhundert
nahm es Rahewin bei seiner Schilderung Kaiser Fried-
richs I. zum Vorbild.

Was der mehrfach erwähnte Lupus schon ums Jahr 830
in einem Brief an Einhard als das Verdienst und den Vorzug seiner Schrift vor allen andern Werken der damaligen
Zeit rühmt, ihre klassische Form, das hat auch heute noch
seine Geltung. Sowohl das Latein, das er schreibt, als auch
die Anordnung und Behandlung des Stoffs gibt Zeugnis
von seinem tiefen und fruchtbaren Studium der Alten.
Hauptsächlich waren es Sueton's Biographien der römischen Kaiser, die ihm zum Vorbild dienten, und eine Reihe
von Stellen zeigt, wie er besonders das Leben des Augustus
bei seiner Schilderung Karls vor Augen hatte. Aber eben
diese Vorzüge bedingten zugleich die Schwächen seines
Werkes. Der klassische Boden, auf den er sich begab, blieb
für ihn doch immer ein fremder; dagegen gab er seinen

natürlichen und heimischen auf. Wer mittelalterliche Geschichtschreibung in ihrem eigentümlichen Wesen kennenlernen will, darf sich nicht an Einhard wenden. Jene kindliche Unbefangenheit und zugleich Unbeholfenheit, jene Innigkeit und Treuherzigkeit, wie sie uns in den mittelalterlichen Chroniken ähnlich wie in den altdeutschen Bildern entgegentritt, suchen wir bei ihm vergebens. Während die Werke der andern Chronisten, wie deutsch gedacht, so im Grund auch deutsch abgefaßt sind und die lateinische Sprache meist nur wie eine Verkleidung erscheint, schrieb Einhard nicht nur mit lateinischen Worten, sondern wirklich in lateinischer Sprache. Der Wert seines Buchs besteht darin, daß es uns ein von der Hand des Freundes und Staatsmanns treu und scharf gezeichnetes Bild von der großartigen Gestalt Karls gibt, aber es ist auch zugleich das bedeutendste Denkmal des frischen wissenschaftlichen Strebens und des Wiederauflebens der klassischen Bildung unter den Deutschen, die fortan das ganze Mittelalter hindurch die Hauptträger dieser Bildung blieben.

Das Leben
Karls des Großen

Walafrids Prolog

Das Leben und die Taten des glorreichsten Kaisers Karl, die hier folgen, hat, wie bekannt ist, Einhard, ein Mann, der unter allen Hofleuten dieser Zeit nicht nur wegen seiner Einsicht und Kenntnisse, sondern auch wegen seines ehrbaren und rechtschaffenen Wandels hohes Lob erwarb, aufgezeichnet und mit dem Zeugnis unverfälschter Wahrheit bekräftigt, da er bei fast allen diesen Dingen selbst zugegen gewesen ist. Er wurde nämlich im östlichen Franken geboren, in dem Gau, der Moingewi (Maingau) genannt wird, und erhielt die ersten Anfänge kindlicher Unterweisung im Kloster Fulda unter der Obhut des heiligen Märtyrers Bonifacius[1]. Von dort aber wurde er von Baugolf, dem Abt des vorher genannten Klosters, zu Karls Pfalz geschickt, mehr wegen seiner außerordentlichen Auffassungsgabe und seines scharfen Verstandes, wovon sich schon damals die hohe Weisheit, die ihn später auszeichnete, erwarten ließ, als um seiner vornehmen Abkunft willen, obgleich er auch durch diese sehr ausgezeichnet war. Denn Karl war unter allen Königen am begierigsten, weise Männer mit Fleiß aufzusuchen und sie zu pflegen, auf daß sie mit aller Behaglichkeit sich der Wissenschaft widmen könnten. Dadurch hat er auch den nebligen und so zu

---

[1] d.h. unter dessen, als des Schutzheiligen, Obhut und Fürsorge.

sagen fast ganz finsteren Umkreis des ihm von Gott anvertrauten Reiches durch die neue Einstrahlung aller Wissenschaft, die dieser Barbarei bis dahin zum Teil noch ganz
unbekannt geblieben war, mit Licht erfüllt, da Gott es
erleuchtete. Jetzt aber, da die Studien wieder in ihr Gegenteil zurücksinken, wird das Licht der Weisheit, das kaum
noch Liebhaber findet, immer seltener.

Jenes Männchen also – denn von Gestalt erschien er
ganz unansehnlich – erreichte am Hof Karls, des Liebha-
bers der Weisheit, soviel Zuwachs an Ansehen durch das
Verdienst seiner Klugheit und Rechtschaffenheit, daß
unter allen Dienern der königlichen Majestät fast keiner
gefunden wurde, dem der König, der in jener Zeit unter
allen der mächtigste und weiseste war, vertraulicher seine
Geheimnisse mitteilte. Und in der Tat nicht ohne Grund,
denn nicht nur zu den Zeiten Karls, sondern, was noch
weit mehr zu bewundern ist, auch unter dem Kaiser Ludwig, als das Reich der Franken durch viele und verschiedene Störungen erschüttert wurde und großen Abbruch
erlitt, hat er sich mit einer wunderbaren und von Gott ihm
eingegebenen Vorsicht unter Gottes Schutz so gut gehütet,
daß der Ruf der Feinheit[1], der vielen Neid und Gelächter
zugezogen hat, ihn weder vorzeitig verließ, noch auch ihn
in unentrinnbare Gefahren verstrickte.

Solches sagen wir, damit um so weniger jemand an der
Wahrheit seiner Worte zweifele, da er nun weiß, daß jener

---

[1] subtilitatis nomen. Der Satz ist schwer verständlich. Die Freibur-
ger Handschrift hat sublimitatis nomen und casum statt risum.
Danach würde es bedeuten, daß er die hochangesehene Stellung,
die anderen Neid und Untergang gebracht hat, behielt, ohne in
schwere Gefahr zu geraten. Der Ausdruck erscheint allerdings
auch so nicht recht zutreffend.

nicht nur der Liebe zu seinem Gönner hohes Lob zu spenden, sondern auch der Wißbegierde seiner Leser die helle
Wahrheit mitzuteilen schuldig war.

Dieses kleine Werk habe ich, Strabo, mit Überschriften
und Abschnitten versehen, so wie es mir passend zu sein
schien, damit jeder Leser leichter den Zugang zu dem finden könne, was ihm besonders gefällt.

Vorwort

Nachdem ich mir vorgenommen hatte, das öffentliche und häusliche Leben und zu einem nicht geringen Teile die Taten meines Herrn und Erziehers, des vortrefflichen und mit Recht hochberühmten Königs Karl, zu beschreiben, habe ich mich bei der Ausführung dieses Vorsatzes der größtmöglichen Kürze bedient und mich bemüht, nichts von dem zu übergehen, was zu meiner Kenntnis gelangen konnte; aber ich habe auch versucht, nicht durch Weitschweifigkeit der Erzählung die abzuschrecken, die von nichts Neuem etwas wissen wollen, und wenn es überhaupt zu vermeiden ist, durch eine neue Schrift bei denen nicht anzustoßen, denen auch die alten und von den gelehrtesten und beredtesten Männern abgefaßten Werke zuwider sind. Und obwohl ich nicht zweifle, daß es manche wissenschaftlich beschäftigte Männer gibt, die unser gegenwärtiges Zeitalter für nicht so gering ansehen, daß alles, was sich jetzt zuträgt, als der Aufzeichnung unwert, in Vergessenheit begraben werden müßte, die vielmehr vom Wunsch nach bleibender Erinnerung getrieben die herrlichen Taten anderer lieber aufzeichnen, als den Ruhm ihres Namens durch Stillschweigen der Nachwelt vorenthalten wollen, glaubte ich mich doch dadurch von meinem Vorhaben nicht abhalten lassen zu dürfen, da ich mir bewußt war, niemand könne so wahr und treu wie ich das aufzeichnen, was ich selbst miterlebte, was ich mit eigenen Augen sah, da ich überdies nicht wissen konnte, ob es wirklich auch von einem andern werde aufgezeichnet werden oder nicht. Und ich hielt es für besser, noch neben andern denselben Gegenstand zu behandeln und ihn der Nachwelt zu überliefern, als das ruhmvolle Leben und die herrlichen von Menschen der neueren Zeit wohl unerreichbaren Taten des ausgezeichnetsten und größten Königs seiner Zeit in die Nacht der Vergessenheit sinken zu lassen. Noch ein anderer und, wie ich glaube, nicht zu verwerfender Grund, der auch schon für sich allein mich zur Abfassung dieser Schrift hätte bewegen können, lag für mich vor: die Pflege nämlich, die ich von ihm genoß, und das freundschaftliche Verhältnis, in dem ich fortwährend zu ihm und seinen Kindern stand, seitdem ich an den Hof gekommen war: dadurch hat er mich so tief sich verpflichtet und mich im Leben wie nach seinem Tode zu seinem Schuldner gemacht, daß man mich mit Recht des Undanks bezichtigen könnte, wenn ich, so vieler von ihm empfangener Wohltaten uneingedenk, die herrliche und glänzende Geschichte eines Mannes, der sich so sehr um mich verdient gemacht hat, mit Stillschweigen überginge und, als wäre er nie dagewesen, seinem Leben weder eine schriftliche Erinnerung noch das gebührende Lob widmete. Um sie zu beschreiben und darzustellen reichte freilich mein geringes und unbedeutendes Talent nicht aus, vielmehr hätte dazu das beredte Wort eines Tullius gehört. – Hier ist nun die Schrift, die das Andenken des größten und vortrefflichsten Mannes bewahren soll: man wird bei ihr neben seinen Taten sich wohl nur darüber wundern, daß ich als Deutscher, der mit der lateinischen Sprache sehr wenig vertraut ist, gut und geschmackvoll etwas lateinisch schreiben zu können glaubte, und so keck wurde, daß ich jenes Wort Cicero's über die lateinischen Schriftsteller, das wir im ersten Buch seiner Tuskulanen lesen, glaubte unbeachtet lassen zu dürfen: „Seine Gedanken schriftlich niederlegen, ohne sie ordnen, schön ausdrücken und den Leser damit ergötzen zu können, heißt Zeit und Schrift unverantwortlich mißbrauchen." Dieser Ausspruch des großen Redners hätte mich vom Schreiben abschrecken können, hätte ich mich nicht schon vorher entschlossen, lieber das Urteil der Welt auf mich zu nehmen und den Ruf meines Talents preiszugeben, als aus Sorge für mich das Leben eines so großen Mannes ungeschrieben zu lassen.

Kaiser Karls
Leben

1. Das Geschlecht der Merowinger, aus dem die Franken früher ihre Könige zu wählen pflegten, endete nach der gewöhnlichen Auffassung mit König Hilderich, der auf Befehl des römischen Papstes Stephan[1] abgesetzt, geschoren und ins Kloster[2] geschickt wurde. Aber obwohl es erst mit ihm ausstarb, war es doch schon längst ohne alle Lebenskraft und machte sich nur noch durch den eitlen Königstitel bemerkbar; denn die Macht und die Reichsgewalt waren in den Händen der höchsten Beamten des Palastes, die Hausmeier hießen, denen die ganze Regierung oblag. Dem König war nichts übriggeblieben, als zufrieden mit dem bloßen Königsnamen, mit langem Haupthaar und

---

[1] Schon der am 14. März 752 gestorbene Papst Zacharias hatte kurz vor seinem Tod den Befehl dazu gegeben, den Einhard seinem Nachfolger Stephan II. zuschreibt.
[2] Sithiu, d.i. Saint-Bertin, setzen einige Handschriften hinzu, in Übereinstimmung mit den Annalen des Klosters.

ungeschorenem Bart[1] auf dem Thron zu sitzen um die
Herrscherfigur zu spielen, die von überall herkommenden
Gesandten anzuhören und ihnen bei ihrem Weggang die
ihm eingeprägten oder anbefohlenen Antworten wie aus
eigener Machtvollkommenheit zu erteilen. Außer dem
nutzlosen Königstitel und einem unsicheren Lebensunter-
halt, den ihm der Hausmeier nach Gutdünken zumaß,
besaß er nur noch ein einziges, noch dazu sehr wenig ein-
trägliches Hofgut als Eigentum und hatte dort eine Wohnung und die für die notdürftigsten Dienstleistungen aus-
reichende, gar nicht zahlreiche Dienerschaft. Überall,
wohin er sich begeben mußte, fuhr er auf einem Wagen,
den ein Joch Ochsen zog und ein Rinderhirte nach Bauern-
art lenkte[2]. So fuhr er zum Palast, so zur öffentlichen
Volksgemeinde, die jährlich wegen des Wohlergehens des
Reiches zusammen tagte, und so kehrte er dann wieder

---

[1] „Haar und Bart waren Zeichen und Tracht des Standes mündi-
ger Freier. Wer sich Haar und Bart abschneiden ließ, unterwarf
sich dadurch gleichsam der väterlichen Gewalt des Abschneiden-
den. Ein Freier konnte sich durch Übergabe seines abgeschnitte-
nen Haares in die Knechtschaft eines andern geben." J. Grimm,
Deutsche Rechtsalterthümer, S. 146. 239. Mit dieser germanischen Anschauungsweise hängt es zusammen, daß das lang her-
abfallende Haar das Ehrenzeichen des fränkischen Königsge-
schlechtes war. Kein Schermesser berührte das Haupt eines Me-
rovingers, ihm das Haar abschneiden bedeutete, ihn zur
königlichen Würde unfähig machen. Und wie schon die älteste
Sagengeschichte die salischen Könige die gelockten nennt, so war
dies auch eine der letzten Auszeichnungen, die den verkomme-
nen Merovingern blieb.

[2] „Dies hatten nicht etwa die Hausmeier zu seiner Schande angeordnet, es war altköniglisches Recht, das sie dem ließen, der den
leeren Namen fortführte." J. Grimm, Deutsche Rechtsalterthümer, S. 262.

nach Hause zurück. Die ganze Staatsverwaltung aber und alles, was im Innern oder nach außen hin anzuordnen oder auszuführen war, besorgte der Hausmeier[1].

2. Dieses Amt bekleidete zu der Zeit, da Hilderich abgesetzt wurde, Pippin, der Vater König Karls, schon wie ein erbliches Recht. Denn sein Vater Karl, der die großen Herren der Gewalt, die sie sich im ganzen Frankenlande angemaßt, beraubt hatte und die Sarrazenen, die es auf die Eroberung Galliens abgesehen hatten, in zwei großen Schlachten, erst in Aquitanien bei der Stadt Pictavium[2], dann bei Narbona am Fluß Birra besiegt und nach Hispanien zurückgejagt hatte, stand mit hoher Auszeichnung dem Amt vor, das ihm sein Vater Pippin hinterlassen hatte, und das gewöhnlich vom Volk nur solchen anvertraut wurde, die durch Adel des Geschlechts und großen Besitz über andere hervorragten.

---

[1] Als erläuterndes Beispiel für diese Schilderung mag das dienen, was die Metzer Jahrbücher zum Jahr 692 von Pippin dem Mittleren, Karl Martells Vater, berichten:
Jedes Jahr hielt er am ersten März mit allen Franken nach altem Brauch die allgemeine Versammlung, in der er aus Ehrfurcht vor dem königlichen Namen demjenigen den Vorsitz überließ, den er in seiner großen Demut und Milde selbst über sich gestellt hatte. Hierauf wurden von sämtlichen fränkischen Großen die Geschenke in Empfang genommen, für den Frieden und Schutz der Kirchen Gottes und der Witwen und Waisen gesprochen, Strafen auf Entführung von Frauen und Brandstiftung gesetzt und dem Heer der Befehl gegeben, sich bereit zu halten, um, sobald es aufgeboten werde, ausziehen zu können, wohin es bestimmt würde. Nachdem das erledigt war, ließ er den König unter ehrenvoller Bedeckung auf das Hofgut Mamaccä (Maumagues auf der linken Seite der Oise, in der Gegend von Noyon) bringen.
[2] Poitiers.

Nachdem Pippin, der Vater König Karls, das von Großvater und Vater ererbte Amt in bester Eintracht gemeinschaftlich mit seinem Bruder Karlomann einige Jahre lang
zum Schein unter König Hilderich verwaltet hatte, ent-
sagte sein Bruder Karlomann aus unbekannten Gründen,
wahrscheinlich aber aus Liebe zu einem beschaulichen
Leben, den Mühen des weltlichen Regiments und zog sich
in die Muße nach Rom zurück; hier legte er sein weltliches
Gewand ab, wurde Mönch und genoß noch einige Jahre in
Gemeinschaft mit andern Brüdern, die deshalb mitgekom-
men waren, die ersehnte Ruhe auf dem Berg Sorakte[1], wo
er neben der Kirche des heiligen Silvester ein Kloster erbaut hatte. Aber da ihn die vielen vornehmen Franken, die
um ein Gelübde zu erfüllen eine Wallfahrt nach Rom
unternahmen und ihn als ihren ehemaligen Gebieter begrüßen wollten, durch ihre häufige Ansprache in der Ruhe,
die er so sehr liebte, störten, wurde er genötigt, einen andern Wohnsitz aufzusuchen. Da er also gesehen hatte, wie
diese vielen Besuche seinem Zweck schadeten, verließ er
den Berg und zog sich in die Provinz Samnium in das
Kloster des heiligen Benedikt auf der Burg Casinum zurück
und brachte dort den Rest seiner Tage in frommer Lebensweise zu[2].

3. Pippin aber wurde durch den Spruch des römischen
Papstes vom Hausmeier zum König erhoben. Nachdem er
nun etwa fünfzehn Jahre allein über die Franken ge-
herrscht und den neun Jahre lang gegen Herzog Waifar

[1] Monte Sant Oreste nördlich von Rom.
[2] Er starb zu Vienne bei Lyon am 17. Aug. 755; – Nach Mühlba-
cher, Regesten der Karolinger I, S. 25, ist das richtige Jahr 754.

von Aquitanien geführten aquitanischen Krieg beendet
hatte, starb er in Paris an der Wassersucht, wobei er zwei
Söhne, Karl und Karlomann, hinterließ, auf die er nach
dem Willen Gottes die Herrschaft vererbte. Die Franken
nahmen sich nämlich auf einer allgemeinen Volksver-
sammlung beide zu Königen, jedoch unter der Bedingung,
daß sie das ganze Reich gleichmäßig aufteilen müßten und
Karl den Teil, den ihr Vater Pippin besessen hatte, be-
käme, Karlomann aber in dem die Herrschaft führte, den
ihr Oheim Karlomann einst verwaltet hatte. Von beiden
Seiten wurden die Bedingungen genehmigt und jeder über-
nahm die Reichshälfte, die ihm nach dieser Bestimmung
zufiel[1]. Nur unter größter Anstrengung wurde der Friede
zwischen ihnen aufrecht erhalten, wobei viele von Karlo-
manns Partei ihre Eintracht zu stören suchten, ja sogar
gewisse Leute sie in Krieg miteinander zu verwickeln
trachteten. Dieser Befürchtung lag jedoch, wie das Ende
zeigte, keine ernstliche Gefahr zugrunde; nach Karlo-
manns Tod flüchtete dessen Gemahlin[2] mit ihren Söhnen
und den Vornehmsten seiner Anhänger nach Italien,
kehrte sich grundlos trotzig vom Bruder ihres Gemahls ab
und begab sich mit ihren Kindern unter den Schutz des
Langobardenkönigs Desiderius. Karlomann war, nachdem
er zwei Jahre[3] mit seinem Bruder gemeinschaftlich die
Herrschaft geführt hatte, einer Krankheit erlegen; Karl

---

[1] Diese Angaben sind irrig, s. Abel-Simson, Jahrbücher unter Karl
dem Großen, I, S. 23 ff.
[2] Girberga wird sie von einigen genannt; im Jahr 770 gebar sie
Karlomann einen Sohn Pippin.
[3] Dies ist nicht genau. König Pippin starb am 24. Sept. 768, Karlomann wurde am 18. Okt. gekrönt und starb am 4. Dez. 771,
regierte also drei Jahre und zwei Monate.

aber wurde nach dem Tod seines Bruders unter allgemeiner Beistimmung der Franken zum König erhoben.

4. Über die Geburt[1], die Kindheit, ja auch das Knabenalter Karls etwas zu sagen, hielte ich für töricht, weil nirgends etwas darüber schriftlich aufgezeichnet ist, und niemand mehr am Leben ist, der Auskunft darüber geben könnte; ich will mich darum nicht bei dem Unbekannten aufhalten, sondern mit meiner Erzählung sogleich zu den Taten, Sitten und zu dem, was sonst noch von seinem Leben zu berichten ist, übergehen, und zwar in der Weise, daß ich zuerst über seine Taten im Innern und nach außen, dann über seine Lebensweise und seine wissenschaftliche Beschäftigung, zuletzt über seine Tätigkeit in der Staatsverwaltung und über seinen Tod berichte, und nichts von dem übergehe, was wissenswert und notwendig ist.

5. Den schon von seinem Vater begonnenen aber nicht vollendeten aquitanischen Krieg hoffte er am schnellsten

---

[1] Nach den meisten Angaben wurde Karl im Jahre 742 geboren, womit auch Einhard selbst übereinstimmt, indem nach ihm (Kap. 30) der Kaiser 72 Jahre alt wurde. Als sein Geburtstag wird in einem Kalender des Klosters Lorsch aus dem neunten Jahrhundert der zweite April angeführt; aber diese Angabe könnte sich auch auf Karl den Dicken beziehen. – Der Ort seiner Geburt ist ganz ungewiß und kaum weniger bestritten als im Altertum der Homers. Paris, Ingelheim, Worms, Jupille bei Lüttich, Aachen, Groß-Vargel an der Unstrut in Thüringen, Karlsburg am Würmsee in Bayern werden von der Sage oder spätern Schriftstellern als Karls Heimat genannt, aber ein entscheidendes geschichtliches Zeugnis liegt nicht vor.

zu Ende bringen zu können, und unternahm ihn daher als ersten von allen Kriegen, die er führte, noch bei Lebzeiten seines Bruders, den er dabei auch um Hilfe bat. Obgleich ihm sein Bruder den versprochenen Beistand versagte, führte er doch den einmal unternommenen Feldzug mit Tapferkeit aus, und ließ nicht eher ab, als bis er durch Ausdauer und Standhaftigkeit sein Endziel erreicht hatte. Er nötigte den Hunold, der nach Waifars Tod Aquitanien in Besitz genommen und den schon beinahe beendeten Krieg wieder aufgenommen hatte, Aquitanien zu verlassen und nach Waskonien zu flüchten. Aber auch hier ließ er ihm keine Ruhe, sondern setzte über den Fluß Garonne und ließ den Herzog Lupus von Waskonien auffordern, ihm den Flüchtling auszuliefern; wenn das nicht augenblicklich geschehe, werde er sich ihn mit den Waffen in der Hand holen. Lupus jedoch ließ sich raten und gab nicht allein den Hunold heraus, sondern unterwarf sich auch mit seiner ganzen Provinz dem König.

6. Nachdem er diesen Krieg beendet und die Angelegenheiten in Aquitanien geordnet hatte, sein Mitregent aber bereits gestorben war, unternahm er, durch die Aufforderung und die Bitten Adrians, des Bischofs der Stadt Rom, bewogen, den Krieg gegen die Langobarden. Schon früher hatte ihn sein Vater auf Drängen des Papstes Stephan unter großen Schwierigkeiten unternommen, denn einige fränkische Große, mit denen er sich gewöhnlich beriet, sprachen sich so entschieden gegen sein Vorhaben aus, daß sie sogar ganz offen erklärten, sie würden den König verlassen und nach Hause zurückkehren. Währenddessen kam der Krieg gegen König Haistulf damals doch zur Ausführung und wurde in kürzester Zeit vollendet. Aber obwohl

Karl einen ähnlichen oder vielmehr ganz denselben Grund
zum Krieg zu haben schien, kostete er doch weit größere
Anstrengung und hatte einen ganz anderen Ausgang. Pippin nämlich hatte den König Haistulf durch eine Belage-
rung von wenigen Tagen in seiner Stadt Ticenum[1] ge-
zwungen, Geiseln zu stellen, die den Römern entrissenen
Städte und Burgen wieder herauszugeben, und unter Eid
zu geloben, sie nicht wieder erobern zu wollen. Karl aber
ließ, nachdem er einmal den Krieg unternommen hatte,
nicht eher ab, als bis König Desiderius, durch lange Belage-
rung ermattet, sich ihm ergeben, sein Sohn Adalgis, auf
den alle ihre letzte Hoffnung gesetzt hatten, nicht nur das
Reich, sondern auch ganz Italien geräumt hatte, den Römern das ganze ihnen entrissene Gebiet wieder ersetzt,
Herzog Hruodgaus von Friaul, der eine Rebellion unternahm, unterdrückt, ganz Italien seiner Herrschaft unterworfen und sein Sohn Pippin König von Italien war. Ich
würde gerne an dieser Stelle erzählen, wie schwierig bei
seinem Zug nach Italien der Übergang über die Alpen war
und mit welchen Mühen die Franken zu kämpfen hatten,
als sie über die unwegsamen Bergrücken, die zum Himmel
aufstrebenden Felsen und das rauhe Gestein zogen, aber es
ist meine Absicht, in dieser Schrift weniger den Verlauf der
von Karl geführten Kriege, als vielmehr seine Lebensweise
aufzuzeichnen. Dieser Krieg endete übrigens damit, daß
Italien unterjocht, König Desiderius auf Lebenszeit verbannt, sein Sohn Adalgis aus Italien vertrieben und die
Eroberungen der Langobardenkönige dem Adrian, dem
Lenker der römischen Kirche, wieder übergeben wurden.

[1] Pavia.

7. Nach Beendigung dieses Kriegs wurde der sächsische wieder aufgenommen, der eigentlich nur unterbrochen worden war.[1] Kein Krieg, den das Volk der Franken unternahm, ist mit solcher Ausdauer, Erbitterung und Anstrengung geführt worden; denn die Sachsen, die wie fast alle Völkerschaften Deutschlands wild von Natur, dem Götzendienst ergeben und gegen unsere Religion feindselig waren, hielten es für nicht unehrenhaft, göttliches und menschliches Recht zu übertreten und zu schänden. Dazu kamen noch besondere Umstände, die jeden Tag eine Störung des Friedens verursachen konnten: die Grenze zwischen uns und den Sachsen zog sich fast völlig ohne trennenden Zwischenraum in der Ebene hin, mit Ausnahme weniger Stellen, wo größere Waldungen oder dazwischen liegende Bergrücken eine scharfe Grenzlinie bildeten; so wollten Totschlag, Raub und Brandstiftungen auf beiden Seiten kein Ende nehmen. Dadurch wurden die Franken so erbittert, daß sie endlich ihren Schaden nicht mehr nur heimzahlen, sondern es auf offenen Krieg mit ihnen ankommen lassen wollten. Daher wurde der Krieg begonnen und von beiden Seiten mit großer Erbitterung, jedoch mehr zum Nachteil der Sachsen als der Franken, dreiunddreißig Jahre lang ununterbrochen fortgeführt. Er hätte freilich früher zu Ende gebracht werden können, wenn nicht die Treulosigkeit der Sachsen gewesen wäre. Es ist schwer zu sagen, wie oft sie besiegt worden waren und sich flehentlich dem König unterwarfen, das ihnen Anbefohlene zu leisten versprachen, die ihnen abgeforderten Geiseln ohne Zögern stellten und die zu ihnen geschickten Beamten aufnahmen; denn einigemal waren sie so ge-

[1] Er wurde schon 772 begonnen.

schwächt und zugrunde gerichtet, daß sie selbst gelobten, dem Götzendienst zu entsagen und den christlichen Glauben anzunehmen. Aber wenn sie einerseits mehrmals bereit waren, dem nachzukommen, so waren sie andererseits jedesmal sogleich eifrig bei der Hand, das Gegenteil zu tun, so daß es schwer zu sagen ist, ob man ihre Neigung zu dem einen oder zu dem andern mit größerem Recht behaupten darf; denn seitdem der Krieg mit ihnen begann, ist kaum ein Jahr vergangen, in dem nicht ein solcher Wechsel mit ihnen vorging. Aber weder in seinem hohen Sinn und seiner in Glück und Unglück gleichbleibenden Beharrlichkeit ließ sich der König durch ihren Wankelmut ermüden, noch ließ er sich von dem abbringen, was er sich einmal vorgenommen hatte, vielmehr ließ er ihnen niemals ihr treuloses Verhalten ungestraft hingehen, sondern entweder zog er persönlich gegen sie zu Feld, oder schickte seine Grafen mit einem Heer gegen sie aus, um für ihr Tun Rache und eine gerechte Sühne zu nehmen. Nachdem er zuletzt alle, die ihm Widerstand geleistet hatten, besiegt und unterjocht hatte, riß er zehntausend Mann mit Weib und Kind aus ihren Wohnsitzen auf beiden Ufern der Elbe heraus und siedelte sie in vielen Gruppen in verschiedenen Gegenden Deutschlands und Galliens an. Unter folgender Bedingung aber, die vom König gestellt und von den Sachsen angenommen wurde, nahm der Krieg ein Ende, der sich so viele Jahre hingezogen hatte: sie sollten dem heidnischen Götzendienst und den heimischen Religionsgebräuchen entsagen, die Sakramente des christlichen Glaubens annehmen und sich mit den Franken zu einem Volk verbinden.

8. Wie lange dieser Krieg sich auch hinzog, Karl kämpfte selbst nicht mehr als zweimal in einer ordentlichen Feld-

schlacht mit dem Feind, das erste Mal an einem Berg Os-
neggi[1], bei dem Ort, der Theotmelli[2] heißt, das zweite
Mal an der Hase[3], und das im Verlauf von einem Monat
und wenigen Tagen. In diesen beiden Schlachten erlitten
die Feinde eine solche Niederlage, daß sie den König nicht
mehr herauszufordern und, wenn er kam, ihm nur dann
Widerstand zu leisten wagten, wenn das Gelände besonderen Schutz bot. Viele Männer jedoch vom fränkischen wie
sächsischen Adel und Männer, die die höchsten Ehrenstel-
len bekleidet hatten, wurden in diesem Krieg getötet, der
erst im 33. Jahr beendet wurde. Während seines Verlaufs
wurden in verschiedenen Ländern viele und so schwere
Kriege, die sich gegen die Franken erhoben, durch die
Tätigkeit des Königs durchgeführt, daß man sehr im Zweifel ist, ob man an ihm mehr die Ausdauer oder sein Glück
bewundern soll. Denn dieser Krieg begann zwei Jahre vor
dem italischen und, obwohl er ununterbrochen fort-
dauerte,[4] blieb weder etwas von anderweitigen Geschäften ungetan, noch ging man irgendwo einem gleich mühe-
vollen Kampf aus dem Weg. Denn der König, der alle
Fürsten seiner Zeit an Klugheit und Seelengröße über-
ragte, ließ sich von nichts, was zu unternehmen und auszuführen war, durch die Mühe abhalten, oder durch Gefahren abschrecken, sondern er hatte sich daran gewöhnt,
alles, wie es kam, zu bestehen oder zu ertragen, weder im

[1] Osning.
[2] Detmold.
[3] Bei Osnabrück; der Ort hieß im Mittelalter Schlachtvörderberg,
jetzt die Clus. – Die Richtigkeit dieser Deutung ist ganz zweifelhaft, s. Abel-Simson I, 456.
[4] Es traten in Wirklichkeit verschiedene längere Unterbrechungen
ein.

Unglück nachzugeben, noch den falschen Verlockungen des Glücks zu folgen.

9. Während er unaufhörlich und fast ohne Unterbrechung mit den Sachsen zu kämpfen hatte, zog er, nachdem die Grenze an den geeigneten Plätzen durch Besatzungen geschützt war, mit einem möglichst großen Heer über die Pyrenäen nach Hispanien, wo sich ihm alle Städte und Burgen, die er angriff, unterwarfen, und kehrte dann ohne den geringsten Verlust mit seinem Heer wieder heim. Nur in den Pyrenäen selbst hatte er auf seinem Rückzug etwas durch die Treulosigkeit der Waskonen zu leiden. Als nämlich das Heer in einem langen Zug, wie es die Enge des Ortes erforderte, einher marschierte, machten die Waskonen, die sich auf der Höhe des Berges in einen Hinterhalt gelegt hatten, – denn das Gelände ist durch die vielen dichten Wälder der dortigen Gegend sehr für Hinterhalte geeignet – einen Angriff auf den letzten Teil des Trosses und der ganzen Nachhut, warfen ihn ins Tal hinab und machten in dem Kampf, der nun folgte, alle bis auf den letzten Mann nieder, sie raubten das Gepäck und zerstreuten sich dann unter dem Schutz der einbrechenden Nacht in höchster Eile nach allen Seiten. Den Waskonen kam bei diesem Gefecht die Leichtigkeit ihrer Waffen und die Lage des Kampfplatzes zustatten; die Franken dagegen waren durch das Gewicht ihrer Waffen und das ungünstige Gelände in allem gegen die Waskonen im Nachteil. In diesem Kampf fielen neben vielen anderen Eggihard, der Truchseß des Königs, Anshelm, der Pfalzgraf, und Hruodland, der Befehlshaber im brittannischen Grenzbezirk[1]. Und

---

[1] Der berühmte Roland, der geschichtlich nur hier erwähnt wird.

dieser Unfall konnte für den Augenblick auch nicht bemerkt werden, weil sich der Feind nach Ausführung der
Attacke so zerstreute, daß nicht die geringste Spur darauf
hinwies, wo er zu suchen sei.

10. Auch die Bretonen, die im westlichen Teil Galliens an
der Meeresküste wohnen, brachte Karl zur Unterwerfung;
als sie ihm den Gehorsam verweigerten, ließ er ein Heer
gegen sie ausziehen und zwang sie dadurch, Geiseln zu
stellen und seinen Geboten Gehorsam zu geloben.

Persönlich brach er alsdann an der Spitze eines Heeres
nach Italien auf und zog über Rom zu der kampanischen
Stadt Capua, wo er ein Lager schlug und den Beneventanern mit einem Krieg drohte, falls sie sich nicht unterwür-
fen. Herzog Aragis ließ es jedoch nicht so weit kommen; er
schickte seine Söhne Rumold und Grimold mit einer
großen Geldsumme dem König entgegen, ließ ihn bitten,
seine beiden Söhne als Geiseln anzunehmen, und versprach mit seinem Volk allen seinen Befehlen nachzukommen, das Eine ausgenommen, daß er selbst vor ihm erscheinen müßte. Der König berücksichtigte mehr das
Wohlergehen des Volkes als den hartnäckigen Sinn des
Herzogs und nahm die angebotenen Geiseln an, erließ es
ihm auch als eine große Gnade, vor seinem Antlitz erscheinen zu müssen. Den jüngsten Sohn behielt er als Geisel bei
sich, den älteren ließ er zum Vater heimziehen, und kehrte
nach Rom zurück, nachdem er Gesandte an Aragis abgeschickt hatte, um von den Beneventanern den Treueeid
entgegenzunehmen. Hier verweilte er noch einige Tage,
um an den Stätten der Heiligen seine Andacht zu verrichten, und zog dann nach Gallien heim.

11. Plötzlich brach dann der bayrische Krieg aus, fand aber ein ebenso schnelles Ende. Er wurde gleichermaßen durch den Übermut, wie durch den Unverstand des Herzogs Tassilo veranlaßt: denn auf Anraten seiner Gemahlin[1], die eine Tochter des Königs Desiderius war und glaubte, die Verbannung ihres Vaters durch ihren Mann rächen zu können, schloß er ein Bündnis mit den Hunnen, den östlichen Nachbarn der Bayern ab, und maßte es sich nicht nur an, die Befehle des Königs unerfüllt zu lassen, sondern ihn auch zum Krieg herauszufordern. Der König in seinem hohen Sinn ertrug Tassilos Halsstarrigkeit nicht, da sie doch allzu weit zu gehen schien; er bot also allenthalben seine Truppen zum Zug gegen Bayern auf und erschien selbst mit einem großen Heer am Lech. Dieser Fluß bildet die Grenze zwischen den Bayern und den Alemannen. Nachdem er an seinem Ufer ein Lager aufgeschlagen hatte, beschloß er, vor dem Einmarsch in das Land die Gesinnung des Herzogs durch Gesandte noch einmal auf die Probe zu stellen. Aber Tassilo hielt es mit Rücksicht auf sein und seines Volkes Wohl nicht für ratsam, in seinem hartnäckigen Ungehorsam zu verharren; demütig ergab er sich dem König, stellte die verlangten Geiseln, darunter auch seinen Sohn Theodo, und gelobte unter Eid, sich durch niemanden zum Abfall von ihm verleiten zu lassen. Und so wurde diesem Krieg, der besonders schwer zu werden drohte, ein sehr schnelles Ende gesetzt. Tassilo wurde jedoch später zum König gerufen und durfte nicht wieder heimkehren: sein Land stand fortan nicht mehr unter einem Herzog, sondern wurde von Grafen regiert.

[1] Sie hieß Liutpirc, wie auf dem Becher in Kremsmünster steht.

12. Nachdem diese Bewegungen so unterdrückt waren, begann er einen Krieg gegen die Slaven[1], die bei uns gewöhnlich Wilzen, in ihrer eigenen Sprache aber Welataben heißen. Dabei leisteten neben den andern Völkerschaften, die der König aufgeboten hatte, auch die Sachsen Kriegsdienste, freilich in nicht sehr aufrichtigem und treuem Gehorsam. Der Krieg wurde dadurch herbeigeführt, daß die Wilzen die seit langer Zeit mit den Franken verbündeten Abodriten durch unaufhörliche Einfälle beunruhigten und sich durch kein Verbot davon abbringen ließen. Vom westlichen Ozean erstreckt sich nach Osten ein Meerbusen in unbekannter Länge und in einer Breite, die nirgends mehr als 100000 Schritte beträgt, an vielen Stellen aber weit geringer ist. Viele Völkerschaften wohnen um ihn herum: die Dänen und Sueonen[2], die wir Nordmannen nennen, haben die ganze Nordküste und alle in ihm liegenden Inseln inne; die Südküste aber wird von Slaven und Aisten[3] und verschiedenen andern Völkerschaften bewohnt, unter denen besonders auch die Welataben sind, gegen die der König zu der Zeit Krieg führte. In einem einzigen Feldzug, den er in eigener Person ausführte, bezwang und unterwarf er sie so vollständig, daß sie sich seinen Befehlen nicht mehr widersetzen wollten.

13. Der bedeutendste Krieg von allen, den er außer dem sächsischen führte, folgte auf diesen Feldzug, nämlich der gegen die Avaren oder Hunnen. Er war dabei ganz besonders eifrig und machte größere Zurüstungen als je zuvor.

[1] Einhard und die mittelalterlichen Schriftsteller schreiben immer Sklaven.
[2] Schweden.
[3] Esten, vergl. Tacitus Germania Kap. 45.

In eigener Person führte er jedoch nur einen einzigen Feldzug nach Pannonien an – denn dieses Land bewohnte zu der Zeit jenes Volk –, die Ausführung der übrigen übertrug er seinem Sohn Pippin, den Landeshauptleuten, den Grafen und Sendboten. Da diese den Krieg mit der größten Tapferkeit führten, wurde er schließlich nach 7 Jahren beendet. Wieviele Schlachten während des Krieges geschlagen wurden, und wieviel Blut vergossen wurde, davon mag das menschenleere Pannonien und die Stätte zeugen, wo vorher Kagans Königsburg war, die jetzt so verödet liegt, daß keine Spur einer menschlichen Behausung zu entdecken ist. Der gesamte Adel der Hunnen kam in diesem Krieg um, ihr ganzer Ruhm ging unter. Alles Geld und die seit langer Zeit angehäuften Schätze fielen in die Hände der Franken und durch keinen Krieg, soweit Menschengedenken reicht, erbeuteten diese so große Reichtümer. Denn während man sie bis dahin beinahe arm nennen konnte, fanden sie nun in der Königsburg eine solche Masse Gold und Silber vor und machten in den Schlachten so kostbare Beute, daß man wohl glauben durfte, die Franken hätten nach Recht und Gerechtigkeit den Hunnen das geraubt, was diese früher anderen Völkern ungerechterweise geraubt hatten[1]. Von fränkischen Großen fanden in diesem Krieg nur zwei ihren Tod, Herzog Erich von Friaul, der in Tharsatika[2], einer in Liburnia gelegenen Seestadt, durch die Hinterlist der Bewohner umkam, und Gerold[3], der Landeshauptmann von Bayern, der in Pannonien, wäh-

[1] Dieser plötzliche große Zufluß edeln Metalls hatte zur Folge, daß das Silber fast um ein Drittel im Wert sank.
[2] Tersato in der Nähe von Fiume.
[3] Der Bruder von Karls Gemahlin Hildegard.

rend er die Schlacht gegen die Hunnen ordnete, von einem Unbekannten mit zwei Begleitern getötet wurde, als er auf und ab ritt und die Einzelnen anfeuerte. Im übrigen war dieser Krieg für die Franken fast ganz unblutig und nahm ein überaus günstiges Ende, obwohl er sich wegen seiner Bedeutsamkeit längere Zeit hinzog.

Nach ihm wurde auch der sächsische Krieg zu einem seiner Länge entsprechenden Ende geführt. Der böhmische und linonische[1], die nachher entstanden, konnten nicht lange währen; beide wurden unter der Führung des jüngeren Karl schnell beendet.

14. Der letzte Krieg wurde gegen die Nordmannen unternommen, die Dänen genannt werden, und zuerst Seeräuberei trieben, dann mit einer größeren Flotte die Küste Galliens und Deutschlands verwüsteten. Ihr König Godofrid war von so eitler Hoffnung aufgeblasen, daß er sich auf die Herrschaft über ganz Deutschland Hoffnung machte; auch Friesland und Sachsen sah er nicht anders als seine Provinzen an; die ihm benachbarten Abodriten hatte er bereits seiner Herrschaft unterworfen und sich zinsbar gemacht. Er maßte es sich sogar an, danach mit einem großen Heer vor Aachen zu erscheinen, wo der König seinen Hof hielt. Und so prahlerisch auch seine Sprache war, so wurde ihr doch nicht aller Glaube versagt; vielmehr war man der Ansicht, er hätte in der Tat etwas derartiges unternommen, wenn ihn nicht ein früher Tod daran gehindert hätte. Er wurde nämlich von seinem eigenen Leib-

[1] Die Linonen waren ein slavischer Stamm zwischen Elbe und Oder.

wächter ermordet, und so wurde seinem Leben ebenso wie
dem von ihm begonnenen Krieg ein schnelles Ende gesetzt.

15. Dies sind die Kriege, die der großmächtige König während der siebenundvierzig Jahre[1], die er regierte, in verschiedenen Ländern mit der größten Einsicht und durchaus glücklich geführt hat. Er hat das Reich der Franken,
das er von seinem Vater schon groß und mächtig übernom-
men hatte, so herrlich erweitert, daß sein Umfang fast ver-
doppelt wurde. Denn während früher nichts weiter als der
zwischen Rhein und Liger[2], zwischen dem Ozean und
dem balearischen Meer gelegene Teil Galliens, und der
Teil von Deutschland zwischen Sachsen und der Donau,
dem Rhein und der Saale, die Grenze zwischen den Thü-
ringern und den Soraben bildet, der von den sogenannten
Ostfranken bewohnt wird, und außerdem nur noch die
Alemannen und Bayern zum Frankenreich gehörten,
unterwarf er durch die erwähnten Kriege zuerst Aquitanien, Waskonien, die ganzen Pyrenäen und das Land bis
zum Ebro, der im Gebiet der Navarrer entspringt, die
fruchtbarsten Gegenden Hispaniens durchfließt und unter
den Mauern der Stadt Dertosa[3] ins balearische Meer
mündet; danach ganz Italien, das sich von Augusta Präto-

---

[1] Diese Zeitbestimmung ist wieder nicht genau: Karl regierte vom
24. Sept. 768, als sein Vater starb, bis zum 28. Januar 814, also
bloß 45 Jahre und 4 Monate. Er wurde im 33. Jahre seiner Regierung Kaiser und starb im 14. Jahr seines Kaisertums. Durch
die Zusammenzählung dieser beiden Zahlen, die er für vollendet
nahm, scheint Einhard zu seiner Angabe gekommen zu sein.
[2] Loire.
[3] Tortosa.

ria[1] bis zum untern Kalabrien, wo bekanntlich die Grenze zwischen den Beneventanern und Griechen ist, in einer Länge von mehr als tausend Meilen[2] erstreckt; ferner Sachsen, das keinen kleinen Teil von Deutschland ausmacht und für doppelt so breit gilt als der von den Franken bewohnte Teil, während es ihm in der Länge gleichkommen mag; sodann beide Pannonien, das auf der andern Donauseite gelegene Dakien, auch Istrien, Liburnien und Dalmatien, mit Ausnahme der Seestädte, die er aus Freundschaft und wegen des mit ihm geschlossenen Bündnisses dem Kaiser von Konstantinopel ließ; endlich machte er sich auch alle die barbarischen und wilden Völkerschaften zinsbar, die zwischen Rhein und Weichsel[3], dem Meer und der Donau Deutschland bewohnen, so ziemlich einerlei Sprache reden, in Sitten und Kleidung aber sehr von einander verschieden sind. Die bedeutendsten darunter sind die Welataben, Soraben, Abodriten, Boemanen, und mit diesen hatte er Krieg zu führen, die übrigen weitaus zahlreicheren unterwarfen sich ihm freiwillig.

16. Er erhöhte den Ruhm seiner Herrschaft auch noch durch die freundschaftliche Verbindung mit mehreren Königen und Völkerschaften. Der König Hadefons[4] von Galizien und Asturien war ihm so eng verbunden, daß er sich nicht anders als seinen Untergebenen nennen ließ, so oft er Gesandte oder Briefe an ihn abschickte. Gleichermaßen

---

[1] Aosta.
[2] römischen. Er benutzte hier die Naturgeschichte des Plinius, III, 5, 6.
[3] Visula. Noch im Jahre 1251 wird sie im Kulmer Stadtrecht Wizele und Wizzele genannt.
[4] Alfons II., der Keusche, regierte von 791 bis 843.

beugte er durch herrliche Geschenke die Könige der Schotten[1] so sehr unter seinen Willen, daß sie ihn nie anders als ihren Herren und sich seine Untertanen und Knechte nannten. Es liegen noch Briefe von ihnen vor, in denen sich diese Gesinnung gegen ihn kundtut. Mit dem König Aaron[2] von Persien, der mit Ausnahme Indiens fast das ganze Morgenland beherrschte, stand er in so freundschaftlichem Einvernehmen, daß dieser seine Huld der Freundschaft aller Könige und Fürsten des ganzen Erdkreises vorzog und glaubte, ihn allein hoch ehren und beschenken zu müssen; und als nun Karls Gesandte, die er mit Gaben zu dem heiligen Grab unseres Herrn und Heilandes und dem Ort seiner Auferstehung geschickt hatte, auch zu Aaron kamen und ihm den Wunsch ihres Herrn eröffneten, so bewilligte er ihnen nicht nur, was von ihm begehrt wurde, sondern auch, daß jene heilige und heilbringende Stätte unter seine Gewalt komme[3]. Und als die Gesandten heimkehrten, gesellte er ihnen einen eigenen bei und schickte dem König neben Kleidern, Wohlgerüchen und andern Kostbarkeiten des Morgenlands noch ungemein reiche Geschenke, nachdem er wenige Jahre zuvor ihm auf seine Bitte den einzigen Elephanten geschickt hatte, den er damals besaß. Auch die konstantinopolitanischen Kaiser Niciforus, Michael und Leo bewarben sich aus freien Stükken um Freundschaft und Bündnis mit ihm und schickten

[1] D. h. Iren, die in dieser Zeit immer Schotten genannt wurden.
[2] Harun al Raschid, der fünfte Kalif aus dem Haus der Abassiden, regierte von 786 bis 809.
[3] An diese Stelle knüpfte sich die Sage von Karls Kreuzzug nach Palästina.

mehrfach Gesandtschaften an ihn ab. Nachdem er jedoch
den Kaisertitel angenommen und dadurch bei ihnen die
Besorgnis erregt hatte, er wolle ihnen das Reich entreißen,
schloß er einen festen Bund mit ihnen ab, so daß nicht der
geringste Anlaß zu seinem Zerwürfnis zwischen beiden Seiten übrig blieb. Immer nämlich war den Römern und
Griechen die Macht der Franken verdächtig, woher auch
jenes griechische Sprichwort kommt: „Den Franken habe
zum Freund, aber nicht zum Nachbar"[1].

17. So groß sich nun auch Karl in der Erweiterung des
Reiches und in der Unterwerfung fremder Völker bewies
und obwohl seine Tätigkeit beständig davon in Anspruch
genommen war, errichtete er daneben doch noch an verschiedenen Orten sehr viele Bauten zum Schmuck und
Nutzen des Reiches und vollendete auch manche. Als die
vorzüglichsten unter ihnen dürfen mit Recht die mit der
größten Kunst erbaute Kirche der heiligen Mutter Gottes
in Aachen und die fünfhundert Schritte lange Rheinbrücke
in Mainz angesehen werden. Jedoch ein Jahr vor Karls
Ableben brannte die Brücke ab und konnte wegen dieses
schnellen Todesfalls nicht wieder hergestellt werden, obwohl er plante, statt einer hölzernen eine steinerne errichten zu lassen. Auch herrliche Paläste erbaute er, einen nicht
weit von der Stadt Mainz bei dem Hofgut Ingelheim[2],

---

[1] Einhard hat die griechischen Worte.
[2] Nach der Beschreibung, die Ermold Nigellus im vierten Buch
seines dem Kaiser Ludwig gewidmeten Gedichts (Vers 179–282)
von Ingelheim macht, waren Kirche und Palast mit vielen Malereien geschmückt. In jener war die ganze biblische Geschichte des
alten und neuen Testaments von Adam und Eva bis zu Christi

einen zweiten in Neumagen am Fluß Waal, der die Insel
der Bataver auf der Mittagseite bespült. Aber hauptsächlich befahl er, wo er in seinem ganzen Reich von verfalle-
nen Gotteshäusern hörte, den Bischöfen und Äbten, denen
ihre Unterhaltung oblag, sie wiederherzustellen[1] und ließ
durch seine Sendboten die Ausführung seiner Befehle über-
wachen. Er rüstete auch eine Flotte zum Krieg gegen die

Himmelfahrt dargestellt. Der Inhalt der im Palast ausgeführten
Wandgemälde bezog sich auf die weltliche Geschichte: Ninus,
Cyrus und Alexander, den Tyrann Phalaris, Romulus und
Remus, Hannibal und den weiteren Verlauf der römischen Geschichte sah man auf der einen Seite dargestellt; auf der andern
begann die neue Zeit, Konstantin und Theodosius als Vertreter
der christlichen Kaiser, an die sich dann die Geschichte der Franken reihte, Karl der Hammer, König Pippin, der die Aquitanier
unterjocht, endlich „zeigt der weise Karl seine offenen Gesichts-
züge, auf dem Haupt die Krone; ihm gegenüber steht die sächsische Schar und versucht sich im Streit, er aber schlägt und bän-
digt sie und unterwirft sie den Gesetzen." – Kaiser Friedrich I.
ließ die beiden Paläste zu Ingelheim und Neumagen wiederher-
stellen.
[1] Von Karls Sorge für die Erhaltung der alten Bauwerke geben
mehrere seiner Reichsgesetze Zeugnis. Auf dem Frankfurter
Reichstag im Frühjahr 794 verordnete er, daß die Kirchenge-
bäude von denen hergestellt und in Stand erhalten werden müßten, welche Lehen von der Kirche haben. Auf der Versammlung
in Salz im Sommer 803 wurde den Bischöfen eingeschärft, die
Erbauung und Erhaltung der Gotteshäuser in ihrem Sprengel zu
beaufsichtigen. In dem 807 in Aachen erlassenen Kapitular werden die Sendboten angewiesen, darüber zu wachen, daß nicht
kaiserliche oder andere Lehnsleute die Gebäude, die sie zu Lehen
besitzen, verfallen lassen, und dabei namentlich auch auf die
Dächer, Wände, Malereien usw. der Kirchen ihr Augenmerk zu
richten. Eine ähnliche Verordnung erließ er noch im Jahr 813 aus
Aachen.

Nordmannen aus und ließ zu dem Zweck an den gallischen und deutschen Flüssen, die in die Nordsee münden, Schiffe erbauen; und weil die Nordmannen die deutsche und gallische Küste unaufhörlich mit Raubzügen heimsuchten, legte er in alle Häfen und Flußmündungen, wo geeignete Ankerplätze zu sein schienen, kleine Geschwader und Wachtposten und hielt durch solche Vorkehrungen den Feind von der Landung ab. Dieselben Anstalten traf er auch im Süden an der Küste der narbonensischen Provinz und Septimaniens, ebenso an der ganzen Küste Italiens bis nach Rom gegen die Mauren, die sich in neuerer Zeit auf Seeraub verlegten. Und so wurde zu seinen Lebzeiten weder Italien durch die Mauren, noch Gallien und Deutschland durch die Nordmannen von schwerem Schaden betroffen, ausgenommen daß Centumcellä[1], eine etrurische Stadt, durch Verrat von den Mauren erobert und geplündert wurde und einige friesische der deutschen Küste naheliegende Inseln von den Nordmannen verwüstet wurden.

18. Daß er als Hüter, Mehrer und zugleich als Ordner des Reiches ein solcher Mann gewesen ist, ist bekannt. Und wohl mag man seine Geistesgaben und seine ungemeine, in jeder Lebenslage in Glück und Unglück gleiche Standhaftigkeit bewundern. Das Übrige, was sich auf sein inneres und häusliches Leben bezieht, das will ich jetzt besprechen.

Als er nach dem Tod seines Vaters mit seinem Bruder das Reich geteilt hatte, ertrug er dessen Haß und Neid mit solcher Geduld, daß es allen bewundernswert erschien, wie

---

[1] Civitavecchia.

er sich von ihm nicht einmal zum Zorn aufreizen ließ. Die Tochter des Langobardenkönigs Desiderius, die er dann auf Betreiben seiner Mutter geheiratet hatte[1], verstieß er nach einem Jahr wieder, man weiß nicht warum und vermählte sich mit der Hildegard, einer Frau von erlauchtem Geschlecht aus dem Volk der Schwaben[2]; diese gebar ihm drei Söhne, den Karl, den Pippin[3] und den Ludwig[4] und ebensoviele Töchter, die Hruodtrud, Berhta und Gisla. Auch noch drei andere Töchter hatte er, die Theoderada, Hiltrud und Hruodhaid, zwei von seiner Gemahlin Fastrada, die aus dem Volk der Ost- oder deutschen Franken

---

[1] Der Name dieser ersten Gemahlin Karls ist ungewiß: Radbert, der durchaus glaubwürdige Lebensbeschreiber des Abts Adalhard, nennt sie Desiderata, aber es liegt nahe, dieses Wort nicht als einen Namen zu nehmen, sondern es klein zu schreiben und zu übersetzen ist: „die von ihm selbst gewünschte Tochter des Königs Desiderius". Deshalb mag die Angabe des in der zweiten Hälfte des neunten Jahrhunderts lebenden Andreas von Bergamo den Vorzug verdienen, der sie Berterad nennt. Ganz haltlos und auch nicht durch die geringste Quellenangabe gestützt ist die Vermutung Ludens, daß Karls Gemahlin keine andere als die mit dem Herzog Arichis von Benevent vermählte Tochter des Desiderius Adalperga gewesen sei, die somit erst nach dem Jahre 771 in die zweite Ehe getreten sein könnte, während ihr Sohn Romuald doch bei seinem Tod im Juli 787 schon fünfundzwanzig Jahre alt war.
[2] Sie zählte den Alemannenherzog Godafrid zu ihren Ahnen und starb am 30. April 783.
[3] Pippin hieß anfangs Karlomann und erhielt den Namen Pippin erst von Hadrian bei seiner Taufe und Salbung zum König von Italien am 12. April 781.
[4] Ludwig hatte noch einen Zwillingsbruder Lothar, der aber schon im Alter von zwei Jahren starb.

stammte[1], die dritte von einem Kebsweib, deren Name
nur meinem Gedächtnis entfallen ist. Nach dem Tod der
Fastrada heiratete er die Liutgard, eine Alemannin[2], von
der er keine Nachkommenschaft bekam. Nach deren Tod
hatte er vier Kebsweiber, die Madelgard, von der er eine
Tochter namens Ruothild hatte[3], die Gersuinda von
sächsischem Geschlecht, die ihm eine Tochter mit Namen
Adaltrud, die Regina, die ihm den Drogo[4] und Hug[5]
gebar, und die Adallinde, mit der er den Theoderich[6]
erzeugte. Seine Mutter Berthrada wurde bei ihm in hohen
Ehren alt. Denn er erwies ihr die größte Ehrfurcht, so daß
nie der geringste Zwist zwischen ihnen ausbrach, außer bei
seiner Scheidung von der Tochter des Königs Desiderius,
die er auf ihren Rat geheiratet hatte. Sie verstarb endlich
nach dem Tod der Hildegard, nachdem sie schon drei
Enkel und ebensoviele Enkelinnen im Haus ihres Sohnes
gesehen hatte; er ließ sie in der Kirche des heiligen Diony-
sius, derselben, in der auch sein Vater liegt, mit großen
Ehren bestatten. Er hatte eine einzige Schwester namens
Gisla[7], die sich schon in ihren Mädchenjahren ganz dem
Dienst der Religion hingab, er erwies ihr dieselbe große
Liebe wie seiner Mutter; wenige Jahre vor seinem Tod
starb auch sie in demselben Kloster[8], in dem sie gelebt
hatte.

[1] Starb 794.
[2] Starb 800.
[3] Sie starb am 24. März 852 als Äbtissin des Klosters Fara.
[4] Wurde Bischof von Metz und Erzkaplan; starb 855.
[5] Abt von St. Quentin; fiel bei Angouleme im Jahre 844.
[6] Wurde 819 gleichfalls zum Mönch geschoren.
[7] Geboren 751.
[8] Cala, Chelles bei Paris.

19. Die Erziehung seiner Kinder richtete er so ein, daß Söhne wie Töchter zuerst in den Wissenschaften unterrichtet wurden, auf deren Erlernung auch er selbst seinen Fleiß verwandte. Dann mußten die Söhne, sobald es nur das Alter erlaubte, nach der Sitte der Franken reiten, sich in den Waffen und auf der Jagd üben, die Töchter aber sich mit Wollarbeit abgeben und mit Spinnrocken und Spindel beschäftigen[1], damit sie sich nicht an Müßiggang gewöhnten, und er ließ sie zu jeder guten Disziplin anleiten. Von allen seinen Kindern verlor er nur zwei Söhne und eine Tochter, bevor er starb, Karl seinen Ältesten[2] und Pippin[3], den er zum König von Italien gemacht hatte, und die Hruodtrud[4], seine erstgeborene Tochter, die mit dem griechischen Kaiser Konstantin verlobt war. Pippin hinterließ einen Sohn Bernhard und fünf Töchter, Adalhaid, Atula, Gundrada, Berthaid und Theoderada. An diesen bewies der König recht deutlich seinen liebevollen Sinn, indem er nach dem Tod des Sohnes den Enkel zum Nachfolger seines Sohnes machte und die Enkelinnen mit seinen eigenen Töchtern erziehen ließ. Den Tod seiner Söhne und seiner Tochter trug er mit weniger Fassung als es der hohe Sinn, der ihm eigen war, erwarten ließ, und die herzliche Liebe, die ihn nicht minder auszeichnete, preßte ihm Tränen aus. Auch bei der Nachricht von dem Tod des römischen Papstes Adrian, der hoch in seiner Freundschaft stand, weinte er so, als hätte er seinen Bruder oder den

---

[1] Karls Mutter Bertha führt in der Sage den Beinamen der Spinnerin.
[2] Starb am 4. Dez. 811.
[3] Starb am 7. Juli 810.
[4] Starb 810.

teuersten Sohn verloren. Denn er hatte ein für Freundschaft äußerst empfängliches Gemüt; er war ihr leicht zu-
gänglich, hielt sie unverbrüchlich fest und bewies gegen alle
diejenigen heilige Treue, zu denen er in solch ein Verhältnis getreten war. Um die Erziehung seiner Söhne und
Töchter war er so besorgt, daß er zu Hause niemals ohne
sie speiste, nie ohne sie eine Reise machte: seine Söhne
ritten ihm zur Seite, seine Töchter aber folgten ihm im
hintersten Zug und eine Schar von Leibwächtern war zu
ihrem Schutz bestellt. Da sie ungemein schön waren und
von ihm aufs zärtlichste geliebt wurden, ist es sehr verwun-
derlich, daß er keine von ihnen einem seiner Mannen oder
einem Freunde zur Frau geben wollte; aber er sagte, er
könne ohne ihre Gesellschaft nicht leben und behielt alle
bis zu seinem Tod bei sich im Haus. Deshalb mußte er,
sonst so glücklich, die Tücke des Schicksals erfahren: er
ging jedoch so über die Sache hinweg, als wäre nie der
geringste Verdacht wegen eines Fehltritts gegen sie entstanden, oder ein Gerücht darüber laut geworden[1].

---

[1] Daß an Karls Hof ein sehr freier Ton herrschte, geht aus verschiedenen Zeugnissen deutlich genug hervor. Schon wenige Jahre
nach seinem Tod wurde die Vision des Mönchs Wettin bekannt,
der den Kaiser im Fegefeuer sah, wie er zur Strafe für seine
Ausschweifungen gepeinigt wurde. Was hier Einhard über den
Lebenswandel von Karls Töchtern zart andeutet, findet seine
Erläuterung durch das in dem Anhang Gesagte.

20. Er hatte von einem Kebsweib[1] einen Sohn mit
Namen Pippin, schön von Angesicht aber durch einen
Höcker verunstaltet, den ich nicht unter den anderen erwähnt habe. Dieser stellte sich, während sein Vater mit
dem Krieg gegen die Hunnen beschäftigt in Bayern den
Winter zubrachte, krank und verschwor sich mit einigen
fränkischen Großen, die ihn durch eitle Hoffnungen auf
das Königtum verführt hatten, gegen seinen Vater. Der
böse Anschlag wurde entdeckt, die Verschworenen wurden
bestraft, den Pippin ließ Karl scheren und nach seinem
Willen im Kloster Prüm[2] ein gottgeweihtes Leben führen.
Schon früher war gegen ihn noch eine andere gefährliche
Verschwörung[3] in Deutschland angestiftet worden, deren
Urheber teilweise geblendet, teilweise am Leib nicht ge-
schädigt, aber alle verbannt wurden; keiner von ihnen kam
ums Leben, drei ausgenommen, die um nicht ergriffen zu
werden, das Schwert zogen, einige sogar dabei töteten und,
weil sie auf keine andere Weise zu überwältigen waren,
niedergemacht wurden. Diese Verschwörungen hatten jedoch, wie man glaubt, ihren Grund und Ursprung in der

---

[1] Nach Paulus Diakonus und den Lorscher Annalen hieß sie Himil-
trud, war aber nach Papst Stephan III. Karls rechtmäßige Gemahlin: in dem Brief nämlich aus dem Jahr 770, in dem er Karl
und Karlmann von einer Verbindung mit Desiderius Tochter
abrät (Geschichtschr. VIII Jahrh. 4, S. 224), schreibt er: „Ihr
seid beide nach Gottes Willen und Ratschlag und nach der Vor-
schrift Eures Vaters in rechtmäßiger Ehe mit schönen Gemahlin-
nen aus einheimischem, fränkischem Geschlecht vermählt, denen
Ihr in Liebe zugetan sein müßte." Auch wird in Litaneien, die
nach Karls Vermählung mit der Fastrada verfaßt sind, Pippin
noch vor den Söhnen der Hildegard genannt.
[2] Nördlich von Trier.
[3] Die Verschwörung des Hardrad im Jahre 786.

Grausamkeit der Königin Fastrada, und darum verschwor man sich beide Male gegen den König, weil er, dem grausamen Sinn seiner Gemahlin zustimmend, von seiner angeborenen Güte und seiner gewöhnlichen Milde in furchtbarer Weise abgewichen zu sein schien. Im übrigen genoß er während seines ganzen Lebens im Inland und Ausland die höchste Liebe und Zuneigung aller, so daß gegen ihn niemals auch nur der geringste Vorwurf wegen ungerechter Härte von jemandem erhoben wurde.

21. Er liebte die Fremden und nahm sich ihrer mit der größten Sorge an, so daß nicht zu Unrecht ihre große Anzahl nicht nur für den Palast, sondern für das ganze Reich eine wahre Last zu sein schien. Er selbst jedoch ließ sich in seiner Hochherzigkeit durch derlei Bedenken wenig anfechten und wog vielmehr die bedeutendsten Nachteile mit dem Ruhm der Freigebigkeit und dem Lohn eines guten Namens auf.

22. Er war von breitem und kräftigem Körperbau, hervorragender Größe[1], die jedoch das richtige Maß nicht überschritt – denn seine Länge betrug sieben Fuß – der obere Teil seines Kopfes war rund, seine Augen sehr groß und lebendig, die Nase ging etwas über das Mittelmaß, er hatte schöne weiße Haare und ein freundliches, heiteres Gesicht. So bot seine Gestalt, mochte er sitzen oder stehen, eine höchst würdige und stattliche Erscheinung, obwohl sein Nacken dick und zu kurz, sein Bauch etwas hervortretend scheinen konnte: das Ebenmaß der andern Glieder ver-

---

[1] Angilbert sagt in seinem Gedichte: „Über alle ragt König Karl hervor mit seinen hohen Schultern."

deckte das. Er hatte einen festen Gang, eine durchaus männliche Körperhaltung und eine helle Stimme, die jedoch zu der ganzen Gestalt nicht recht passen wollte; seine Gesundheit war gut, außer daß er in den vier Jahren vor seinem Tod häufig von Fiebern ergriffen wurde und zuletzt auch mit einem Fuße hinkte. Aber auch damals folgte er mehr seinem eigenen Gutdünken, als dem Rat der Ärzte, die ihm beinahe verhaßt waren, weil sie ihm rieten, dem Braten, den er zu speisen pflegte, zu entsagen und sich an gesottenes Fleisch zu halten. Ständig übte er sich im Reiten und Jagen, wie es die Sitte seines Volks war: denn man wird nicht leicht auf Erden ein Volk finden, das sich in dieser Kunst mit den Franken messen könnte. Sehr angenehm waren ihm auch die Dünste der warmen Quellen; er übte seinen Körper fleißig im Schwimmen und verstand das so trefflich, daß ihn keiner darin übertraf. Darum erbaute er sich auch in Aachen ein Schloß und wohnte in seinen letzten Lebensjahren bis zu seinem Tode ständig darin. Und nicht nur seine Söhne, sondern auch die Vornehmen und seine Freunde, nicht selten auch die ganze Schar seines Gefolges und seiner Leibwächter lud er zum Bad ein, so daß bisweilen hundert Menschen und mehr zusammen badeten.

23. Er kleidete sich nach vaterländischer, nämlich fränkischer Weise. Auf dem Leib trug er ein leinenes Hemd und leinene Unterhosen, darüber ein Wams, das mit seidenen Streifen verbrämt war, und Hosen; er bedeckte die Beine mit Binden und die Füße mit Schuhen, und schützte mit einem aus Fischotter- und Zobelpelz verfertigten Rock im Winter Schultern und Brust; endlich trug er einen blauen Mantel und ständig das Schwert an der Seite, dessen Griff

und Gehänge aus Gold oder Silber war. Bisweilen trug er auch ein mit Edelsteinen verziertes Schwert, dies jedoch nur bei besonderen Festlichkeiten oder wenn die Gesandten fremder Völker vor ihm erschienen. Ausländische Kleidung jedoch wies er zurück, mochte sie auch noch so schön sein, und ließ sie sich niemals anlegen, nur in Rom kleidete er sich einmal nach dem Wunsch des Papstes Adrian und ein zweites Mal auf die Bitte von dessen Nachfolger Leo in die lange Tunika und in die Chlamys und zog auch römische Schuhe an. Bei festlichen Gelegenheiten schritt er in einem mit Gold durchwirkten Kleid und mit Edelsteinen besetzten Schuhen, den Mantel durch eine goldene Spange zusammengehalten, auf dem Haupt ein aus Gold und Edelsteinen verfertigtes Diadem einher; an andern Tagen unterschied sich seine Kleidung wenig von der gemeinen Volkstracht.

24. In Speise und Trank war er mäßig, mäßiger jedoch noch im Trank, denn die Trunkenheit verabscheute er an jedem Menschen aufs äußerste, geschweige denn an sich und den Seinigen. Im Essen jedoch konnte er nicht so enthaltsam sein, vielmehr klagte er häufig, daß das Fasten seinem Körper schade. Höchst selten gab er Gastmähler, nur bei besonderen festlichen Gelegenheiten, dann jedoch in zahlreicher Gesellschaft. Auf seine gewöhnliche Tafel ließ er außer dem Braten, den ihm die Jäger am Bratspieß zu bringen pflegten und der ihm lieber war als jede andere Speise, nur vier Gerichte auftragen. Während der Tafel hörte er gerne Sänger oder einen Vorleser. Er ließ sich die Geschichten und Taten der Alten vorlesen; auch an den Büchern des heiligen Augustinus hatte er Freude, besonders an denen, die „Vom Gottesstaat" betitelt sind. Im

Genuß des Weins und jeglichen Getränks war er so mäßig,
daß er bei Tisch selten mehr als dreimal trank. Im Sommer
nahm er nach dem Mittagessen etwas Obst zu sich und
trank einmal, dann legte er Kleider und Schuhe ab, wie er
es bei Nacht tat, und ruhte zwei bis drei Stunden. Nachts
unterbrach er den Schlaf vier- oder fünfmal, indem er nicht
nur aufwachte, sondern auch aufstand. Während er sich
ankleidete, ließ er nicht allein seine Freunde vor, sondern
wenn der Pfalzgraf von einem Rechtsstreit sprach, der
nicht ohne seinen Ausspruch entschieden werden könne, so
ließ er die streitenden Parteien sofort hereinführen und
sprach nach Untersuchung des Falls das Urteil, als säße er
auf dem Richterstuhl; und das war nicht das einzige, sondern was es für diesen Tag von Geschäften zu tun und
seinen Beamten aufzutragen gab, das besorgte er zu dieser
Stunde.

25. Er sprach wortreich und sicher und er konnte leicht
und klar ausdrücken, was er wollte. Es genügte ihm jedoch
nicht seine Muttersprache, sondern er verwendete auch
großen Fleiß auf die Erlernung fremder Sprachen: im Lateinischen brachte er es so weit, daß er es wie Deutsch
sprach, das Griechische aber konnte er besser verstehen, als
selber sprechen. Dabei war er so beredt, daß er fast ge-
schwätzig erscheinen konnte. Die edeln Wissenschaften
pflegte er mit großer Liebe, die Lehrer in denselben
schätzte er ungemein und erwies ihnen hohe Ehren. In der
Grammatik nahm er Unterricht bei dem Diakonus Petrus
von Pisa, einem hochbejahrten Mann, in den übrigen Wissenschaften ließ er sich von dem Diakonus Albinus, mit
dem Beinamen Alkoin, unterweisen, einem in allen Fä-
chern gelehrten Mann, der von sächsischem Geschlecht

war und aus Britannien stammte[1]. In dessen Gesellschaft
wandte er viel Zeit und Mühe auf, um sich in der Rhetorik,
Dialektik, besonders aber in der Astronomie unterrichten
zu lassen. Er erlernte die Kunst zu rechnen und erforschte
mit emsigem Fleiß und großer Wißbegierde den Lauf der
Gestirne. Auch versuchte er zu schreiben und pflegte deswegen Tafel und Büchlein im Bett unter dem Kopfkissen
aufzubewahren, um in müßigen Stunden seine Hand an
die Gestaltung von Buchstaben zu gewöhnen. Jedoch
brachte er es hierin mit seinen Bemühungen nicht weit, da
er es zu spät angefangen hatte.

26. Der christlichen Religion, zu der er von Jugend auf
angeleitet worden, war er mit Ehrfurcht und frommer
Liebe zugetan. Darum erbaute er auch das herrliche Got-
teshaus in Aachen und schmückte es mit Gold und Silber,
und mit Leuchtern und mit ehernen Gittern und Türen.
Da er die Säulen und den Marmor für die Kirche anders-
woher nicht bekommen konnte, ließ er sie aus Rom und
Ravenna herbeischaffen. Morgens und abends, auch bei
den nächtlichen Horen und zur Zeit der Messe besuchte er
fleißig die Kirche, wenn es ihm sein Befinden erlaubte; und
er ließ es sich sehr angelegen sein, daß alle gottesdienst-
lichen Verrichtungen mit möglichst großer Würde began-
gen würden, und sehr häufig ermahnte er die Küster, daß
sie nichts Schmutziges oder Ungebührliches in die Kirche
bringen oder darin bleiben ließen. Die heiligen Gefäße ließ
er aus Gold und Silber anfertigen und sie ebenso wie die
priesterlichen Gewänder in so großer Anzahl anschaffen,
daß nicht einmal die Türsteher, die doch den untersten

[1] Er starb am 19. Mai 804.

kirchlichen Grad bilden, beim Gottesdienst in ihrer gewöhnlichen Kleidung zu erscheinen brauchten. Auf die
Verbesserung des Lesens und Singens in der Kirche verwandte er große Sorgfalt. Denn in beiden Dingen war er
sehr unterrichtet, wenn er auch selbst nicht öffentlich las
und nur leise und im Chor sang.

27. In der Pflege der Armen und ihrer Unterstützung
durch Almosen bewies er viel frommen Eifer, und das nicht
bloß in seinem Land und Reich, sondern auch weit über's
Meer pflegte er Geld zu schicken nach Syrien, Ägypten
und Afrika, nach Jerusalem, Alexandria und Karthago,
wenn er hörte, daß dort Christen in Dürftigkeit leben, und
half ihnen so in ihrer Not. Vornehmlich deswegen bewarb
er sich auch um die Freundschaft der Könige jenseits des
Meeres, damit er den unter ihrer Herrschaft lebenden
Christen Erleichterung und Hilfe zukommen lassen
könnte. Vor allen andern heiligen Stätten ehrte er die Kirche des heiligen Apostels Petrus in Rom, deren Schatz er
mit viel Gold, Silber und Edelsteinen bereicherte. Den
Päpsten machte er viele und reiche Geschenke und nichts
lag ihm während seiner ganzen Regierung so sehr am Herzen, als daß die Stadt Rom durch seinen Eifer und Beistand
wieder zu ihrem alten Ansehen gelangte und die Kirche
des heiligen Petrus dadurch nicht nur in sicherem Schutz,
sondern auch vor allen andern Kirchen reich und mächtig
sei. So hoch er sie aber auch ehrte, so kam er während der
siebenundvierzig Jahre seiner Regierung doch nur viermal
nach Rom, um dort seine Andacht zu verrichten.

28. Seine letzte Reise hatte nicht darin allein seinen
Grund, sondern sie wurde auch dadurch veranlaßt, daß

Papst Leo sich durch die vielen Mißhandlungen, die er von seiten der Römer erlitten hatte, indem sie ihm nämlich Augen und Zunge ausrissen, genötigt sah, den König um Schutz anzuflehen. Er kam also nach Rom und verweilte dort den ganzen Winter, um die Kirche aus der überaus großen Zerrüttung zu reißen, in die sie verfallen war. Damals war es, daß er den Namen Kaiser und Augustus empfing, der ihm anfangs so zuwider war, daß er versicherte, er hätte an jenem Tag, obgleich es ein hohes Fest war, die Kirche nicht betreten, wenn er die Absicht des Papstes hätte vorherwissen können. Die oströmischen Kaiser nahmen es äußerst übel auf, daß er den Kaisertitel angenommen hatte, er trug aber ihren Haß mit großer Gelassenheit und konnte mit dem hohen Sinn, in dem er ohne alle Frage weit über ihnen stand, ihren Trotz besiegen, indem er häufig durch Gesandtschaften mit ihnen verkehrte und sie in seinen Briefen als Brüder anredete.

29. Da er sah, wieviel Mangelhaftes in den Gesetzen seines Volkes war, – die Franken haben nämlich zwei Rechte[1], die in manchen Teilen sehr von einander abweichen – nahm er sich nach der Annahme des Kaisertitels vor, das Fehlende zu ergänzen, das Abweichende in Übereinstimmung zu bringen und das Verkehrte und Untaugliche zu verbessern; aber er kam damit nicht weiter, als daß er wenige Zusätze, und auch diese nicht ganz fertig, zu den Rechtsbüchern machte. Wo das Recht eines der von ihm beherrschten Volksstämme noch nicht geschrieben war, da

[1] Das salische und das ribuarische.

ließ er es zusammenstellen und schriftlich aufzeichnen[1]. Ebenso ließ er die uralten deutschen Lieder, in denen die Taten und Kriege der alten Könige besungen wurden, aufschreiben, damit sie unvergessen blieben. Auch eine Grammatik seiner Muttersprache begann er abzufassen. Ferner gab er den Monaten, für die bei den Franken bis dahin teils lateinische teils deutsche Namen im Gebrauch gewesen waren, Benennungen aus seiner eigenen Sprache. Ebenso gab er den zwölf Winden deutsche Namen, während man vorher kaum für vier Winde besondere Benennungen hatte. Und zwar nannte er von den Monaten den Januar Wintarmanoth, den Februar Hornung[2], den März Lentzinmanoth, den April Ostarmanoth, den Mai Winnemanoth, den Juni Brachmanoth, den Juli Heuvimanoth, den August Aranmanoth, den September Witumanoth[3], den Oktober Windumemanoth[4], den November Herbistmanoth, den Dezember Heilagmanoth. Den Winden aber gab er folgende Namen: den Ostwind (Subsolanus) nannte er Ostronowint, den Südostwind (Eurus) Ostsundroni, den Südsüdostwind (Euroauster) Sundostroni, den Südwind (Auster) Sundromi, den Südsüdwestwind (Austroafrikus) Sundwestroni, den Südwestwind (Afrikus) Westsundroni, den Westwind (Zephyr) Westroni, den Nordwestwind (Chorus) Westnordroni, den Nordnordwestwind (Circius) Nordwestroni, den Nordwind (Septemtrio) Nordroni, den Nordostwind (Aquilo) Nordostroni, den Ostnordostwind (Vulturnus) Ostnordroni.

[1] Dies geschah bei den Volksrechten der Sachsen, Thüringer und Friesen.
[2] Von hor Koth.
[3] Monat wo Holz gefällt wird; von witu Holz.
[4] Der Monat der Weinlese, von windemôn, latein. vindemiare.

30. Gegen Ende seines Lebens, als er schon durch Alter und Krankheit sehr gebeugt war, rief er seinen Sohn Ludwig, den König von Aquitanien, der von den Söhnen der Hildegard noch allein am Leben war, zu sich und erklärte ihn in feierlicher Versammlung der Großen aus dem ganzen Frankenreich mit Zustimmung aller zum Mitregenten im ganzen Reich und zum Erben des kaiserlichen Namens, setzte ihm das Diadem auf das Haupt und befahl, ihn Kaiser und Augustus zu nennen. Dies wurde von allen Anwesenden mit großem Beifall aufgenommen; schien es doch, als wäre ihm dieser Gedanke zum Besten des Reichs vom Himmel eingegeben worden. Die Majestät wurde dadurch angehoben und den fremden Völkern keine geringe Furcht eingeflößt. Nachdem er hierauf seinen Sohn nach Aquitanien wieder entlassen hatte, zog er, wie es seine Gewohnheit war, obgleich schon sehr entkräftet vom Alter, nicht weit von Aachen auf die Jagd. Damit verbrachte er den Rest des Herbstes und kehrte dann gegen Anfang November nach Aachen zurück. Hier wollte er den Winter über verweilen; aber im Januar mußte er sich, von einem heftigen Fieber ergriffen, zu Bett legen. Er enthielt sich sogleich, wie er es beim Fieber immer tat, des Essens, in der Meinung, durch Hungern die Krankheit bezwingen oder wenigstens lindern zu können; als aber zum Fieber noch Seitenschmerzen hinzutraten, welche die Griechen Pleuresis[1] nennen, und er immer noch seine Hungerkur fortsetzte und seinen Leib nur durch spärliches Trinken stärkte, starb er, nachdem er zuvor das heilige Abendmahl genossen hatte, am siebenten Tage der Krankheit, im Alter

---

[1] Gewöhnlich Pleuritis.

von 72 Jahren, im 47. seiner Herrschaft, am 28. Januar in
der dritten Stunde des Tages.

31. Sein Leichnam wurde feierlich gewaschen und herge-
richtet und unter großen Klagen des gesamten Volkes zur
Kirche getragen und dort bestattet. Man war anfangs un-
einig, wo man ihn beisetzen sollte, weil er selbst zu seinen
Lebzeiten nichts darüber bestimmt hatte; zuletzt aber ei-
nigten sich alle dahingehend, daß er nirgends eine würdi-
gere Grabstätte finden könne, als in der Kirche, die er
selbst aus Liebe zu Gott und zu unserem Herrn Jesus Christus und zu Ehren der heiligen Jungfrau in Aachen auf
eigene Kosten erbaut hatte. Hier wurde er nun an demselben Tag, an dem er gestorben war, beigesetzt und über
dem Grab wurde ein vergoldeter Bogen mit seinem Bild
und einer Inschrift errichtet. Die Inschrift lautete aber:
Hier unten liegt der Leib Karls des großen und rechtgläu-
bigen Kaisers, der das Reich der Franken herrlich vergrößert und 47 Jahre hindurch glücklich regiert hat. Er starb
als Siebzigjähriger im Jahr des Herrn 814, in der siebenten
Indiktion, am 28. Januar.

32. Verschiedene Vorzeichen hatten auf das Herannahen
seines Todes hingewiesen, so daß nicht nur andere, sondern
auch er selber ihn kommen fühlte. In den drei letzten Jahren seines Lebens gab es sehr viele Sonnen- und Mondfin-
sternisse und an der Sonne bemerkte man sieben Tage lang
einen schwarzen Fleck[1]. Der Säulengang, den er zwischen der Kirche und dem Schloß mit großer Mühe hatte

---

[1] Vergl. die Annalen zum Jahr 807, wo der Planet Merkur als die
  Ursache genannt ist.

errichten lassen, stürzte am Himmelsfahrtstag plötzlich bis
auf den Grund zusammen. Die Rheinbrücke bei Mainz,
ein herrliches Werk, das er in einem Zeitraum von zehn
Jahren mit unendlicher Mühe und wunderbarer Kunst so
fest aus Holz gebaut hatte, daß man glaubte, es müßte für
die Ewigkeit stehen, wurde durch eine zufällig entstandene
Feuersbrunst in drei Stunden so vollständig zerstört, daß
außer dem, was vom Wasser bedeckt war, kein Span übrig
blieb. Er selbst sah auf dem letzten sächsischen Heereszug,
den er gegen Godofrid den Dänenkönig unternahm[1],
eines Tages, als er vor Sonnenaufgang das Lager verlassen
und den Marsch angetreten hatte, plötzlich eine Fackel
vom Himmel herunterfallen und in hellem Glanz von der
rechten auf die linke Seite durch die heitere Luft fliegen.
Während alle verwundert waren, was wohl dieses Zeichen
zu bedeuten habe, stürzte plötzlich das Pferd, das er ritt,
und warf ihn, indem es den Kopf zwischen die Beine nahm,
so heftig zur Erde, daß die Spange seines Mantels brach,
sein Schwertgurt zerriß und er von der herzueilenden Dienerschaft ohne Waffen und ohne Mantel aufgehoben
wurde. Der Wurfspieß, den er gerade in der Hand gehalten
hatte, wurde dabei zwanzig oder noch mehr Fuß weit fort-
geschleudert. Zu diesem Unfall kam noch eine häufige Er-
schütterung seines Palastes in Aachen und ein ständiges
Krachen des Gebälks in den Häusern, in denen er sich
aufhielt. Auch wurde die Kirche, in der er später begraben
wurde, vom Blitz getroffen und dabei wurde der goldene
Apfel, der die Spitze des Daches schmückte, heruntergeris-
sen und auf den Bischofshof neben der Kirche geschleudert.
Auf dem Reif des Kranzes, der zwischen den oberen und

---

[1] Im Jahre 810.

unteren Bogen im Innern dieser Kirche herumging, war
eine Inschrift in roter Farbe, die besagte, wer der Gründer
des Gotteshauses sei, und in deren letzter Reihe die Worte
standen: Karolus princeps (der Fürst Karl). In seinem
Sterbejahr, wenige Monate vor seinem Tod, wurde, wie
das etliche bemerkt haben, das Wort princeps ganz und gar
ausgelöscht. Aber auf alle diese Vorzeichen gab er entweder nur scheinbar oder aus wirklicher Verachtung nichts,
als stünden sie in gar keinem Bezug zu ihm.

33. Er hatte ein Testament angefangen, in dem er seinen
Töchtern und den mit Kebsweibern gezeugten Kindern
ein Erbteil zuweisen wollte, aber es kam, da er es zu spät
begonnen hatte, nicht mehr ganz zustande. Jedoch hatte er
drei Jahre bevor er starb eine Verteilung seiner Schätze,
des Geldes, der Kleider und des sonstigen Gerätes in Gegenwart seiner Freunde und Diener vorgenommen und
diese dabei als Zeugen herangezogen, damit nach seinem
Tode die Verteilung in der von ihm angeordneten Weise
durch ihr Zeugnis gültig bleibe. Er ließ hierauf seinen Willen in einer kurzen Urkunde aufsetzen, deren Inhalt und
Wortlaut folgender ist:
„Im Namen des Herrn, des allmächtigen Gottes, des
Vaters, des Sohnes und des heiligen Geistes. Verzeichnis
und Verteilung, die gemacht worden ist von dem ruhmvol-
len und frommen Herrn Karl, dem erhabenen Kaiser, seit
der Menschwerdung unseres Herrn Jesus Christus im 811.,
seiner Herrschaft in Franken im 43., in Italien im 36., des
Kaisertums aber im 11. Jahre, in der 4. Indiktion; die er
mit frommer und kluger Überlegung zu machen beschlos-
sen und mit Willen Gottes ausgeführt hat in Betreff seiner
Schätze und allen Geldes, was sich an jenem Tage in seiner

Schatzkammer befand. Dabei hat er hauptsächlich dafür
sorgen wollen, daß nicht allein das Spenden von Almosen,
wie sie bei Christen normalerweise von ihrem Vermögen
gemacht wird, auch für ihn von seinem Geld in aller Form
und Ordnung ausgeführt werde, sondern auch, daß seine
Erben durch die Beseitigung jeglichen Zweifels klar wissen
sollten, was ihnen zukomme, und ohne Streit und Hader
die Teilung vornehmen könnten. In dieser Absicht und zu
diesem Zweck hat er alles Hab und Gut, was sich in Gold,
Silber, Edelsteinen und königlichem Schmuck an jenem
Tage in seiner Schatzkammer vorfand, zuerst in drei Teile
geteilt, dann diese Teile nochmals geteilt und dadurch aus
jenen beiden ersten einundzwanzig Teile gemacht, den
dritten aber ganz gelassen. Die Teilung der beiden ersten
Teile in einundzwanzig ist darum geschehen, damit, weil in
seinem Reich einundzwanzig Metropolitanstädte sind,
durch die Hand seiner Erben und Freunde ein Teil als
fromme Schenkung jeder Metropole zukomme, der jewei-
lige Erzbischof in derselben aber den seiner Kirche zufallenden Teil in Empfang nehme und mit seinen Suffraganen
in der Weise teile, daß ein Drittel seiner Kirche verbleibt,
zwei Drittel aber unter seine Suffraganen verteilt werden.
Von diesen Teilen, die aus den beiden ersten Hauptteilen
gemacht worden sind und nach der Zahl der Metropolitanstädte einundzwanzig betragen, liegt jeder von dem andern abgesondert an seinem eigenen Ort mit der Über-
schrift der Stadt, der er zufallen soll. Die Namen der Me-
tropolen, an die diese fromme Schenkung zu machen ist,
sind folgende: Roma, Ravenna, Mediolanum[1], Forum

[1] Mailand.

Julii[1], Gradus[2], Colonia[3], Mogontiacus[4], Juvavum,
das auch Salzburg heißt, Tereveri[5], Senones[6], Veson-
tio[7], Lugdunum[8], Rotumagus[9], Remi[10], Arelas[11],
Vienna, Darantasia[12], Ebrodunum[13], Burdigala[14], Turo-
nes[15], Bituriges[16]. Der eine Teil aber, der nach seinem
Willen ungeteilt bleiben soll, hat die Bestimmung, daß,
während jene zwei Teile in der angegebenen Weise verteilt
und unter Siegel gelegt werden sollen, dieser dritte zum
täglichen Gebrauch verwandt werde, als ein Gut, das
durch kein Gelübde als vom Eigentümer veräußert angesehen werden soll, und zwar so lange als dieser in seinem
Leibe wandelt oder die Benutzung desselben für sich in
Anspruch nimmt. Nach seinem Tod oder seinem freiwilli-
gen Rücktritt aus dem weltlichen Leben soll dieser Teil
vierfach geteilt, ein Teil davon jenen einundzwanzig Teilen
zugelegt werden; der zweite seinen Söhnen und Töchtern

[1] Cividale del Friuli, Sitz des Patriarchen von Aquileja.
[2] Grado, Hafenstadt von Aquileja auf einer Insel. Das durch Spal-
tung von Aquileja entstandene Patriarchat wurde später nach
Venedig verlegt.
[3] Köln.
[4] Mainz.
[5] Trier.
[6] Sens.
[7] Besançon.
[8] Lyon.
[9] Rouen.
[10] Reims.
[11] Arles.
[12] Moutiers en Tarantaise in Savoyen.
[13] Embrun in Dauphiné.
[14] Bordeaux.
[15] Tours.
[16] Bourges.

und den Söhnen und Töchtern seiner Söhne zufallen und von diesen gerecht und billig unter sich verteilt werden; der dritte Teil soll nach hergebrachter christlicher Sitte für die Armen ausgesetzt sein; der vierte in ähnlicher Weise als Almosen zur Verteilung unter die im Palast dienenden Knechte und Mägde kommen. Diesem dritten Hauptteil, der gleich wie die übrigen aus Gold und Silber besteht, sollen seinem Willen gemäß alle aus Erz, Eisen oder anderen Metallen gefertigten Gefäße und Gerätschaften samt Waffen, Kleidern und anderen kostbaren oder geringen, zu verschiedenem Gebrauch gemachten Hausgeräten beigelegt werden, wie Vorhänge, Decken, Teppiche, Filz- und Lederwerk, Mantelsäcke und was sich sonst an dem Tage in seiner Schatz- und Kleiderkammer vorfindet, so daß dadurch die Teile der dritten Gruppe größer werden und um so mehr Arme in den Genuß des zum Almosen bestimmten Anteils kommen können. Er ordnete ferner an, daß seine Kapelle, das heißt alles zur Abhaltung des Gottesdienstes Erforderliche, sowohl das, was er selbst gestiftet und zusammengebracht hatte, als auch das, was er aus der väterlichen Erbschaft überkommen hatte, ganz zusammen bleibe und durch keine Teilung zerstreut werde. Sollte sich aber sonst etwas an Gefäßen oder Büchern oder anderem Kirchenschmuck finden, von dem es unzweifelhaft feststünde, daß er es nicht in die Kapelle geschenkt habe, das solle, wer es haben wolle, nach Bezahlung des richtigen Preises kaufen und besitzen können. In gleicher Weise verordnete er auch in Betreff der Bücher, von denen er in seiner Bibliothek eine große Menge gesammelt hatte, daß sie von denen, die sie haben wollten, um den richtigen Preis gekauft werden könnten und der Erlös daraus den Armen zufallen sollte. Bei den übrigen Schätzen und Besitztümern

befanden sich drei silberne Tische und ein goldener von
ganz besonderer Größe und Schwere. Darüber beschloß
und verordnete er, daß einer davon in viereckiger Form,
auf dem der Plan der Stadt Konstantinopel gezeichnet
steht, mit den übrigen dahin bestimmten Geschenken nach
Rom in die Kirche des heiligen Apostels Petrus, der zweite
runde, der mit einem Bild der Stadt Rom geschmückt war,
in die bischöfliche Kirche von Ravenna gebracht werde.
Der dritte, der die andern sowohl an Schönheit der Arbeit,
als auch an Schwere des Gewichts weit übertrifft, aus drei
Kreisen besteht und eine Beschreibung der ganzen Welt
in genauer und feiner Zeichnung enthält[1], und jener
goldene Tisch, der als der vierte aufgeführt ist, sollen,
wie er angeordnet hat, seinen Erben und dem zu milden
Schenkungen bestimmten Teil zufallen. Diese Bestimmung
und Anordnung hat er vor den Bischöfen, Äbten und
Grafen, die zu der Zeit zugegen sein konnten und deren
Namen hier beigeschrieben stehen, gemacht und getroffen: Die Bischöfe: Hildebald[2], Richolf[3], Arn[4], Wolfar[5],

[1] Thegan erzählt in seinem Leben Kaiser Ludwigs des Frommen,
dieser habe aus der ganzen Erbschaft nur diesen einzigen Tisch,
der die Gestalt von drei miteinander verbundenen Schilden gehabt habe, aus Liebe zu seinem Vater behalten. Nach dem Be-
richt des Bischofs Prudentius von Troyes nahm Lothar diesen
„silbernen Tisch von wunderbarer Größe und Schönheit, auf
dem der ganze Himmelskreis und die Sterne und der verschiedene Lauf der Planeten in erhabener Arbeit abgebildet war", im
Jahre 842 aus dem Palast in Aachen fort, ließ ihn in Stücke
zerschneiden und unter seine Anhänger verteilen.
[2] Von Köln.
[3] Von Mainz.
[4] Von Salzburg.
[5] Von Reims.

Bernoin[1], Laidrad[2], Johannes[3], Theodolf[4], Jesse[5], Heito[6], Waltgaud[7]. Die Äbte: Fredugis[8], Adalung[9], Engilbert[10], Irmino[11]. Die Grafen: Walach, Meginher, Otulf, Stephan, Unruoch, Burchard, Meginhard, Hatto, Rihwin, Edo, Ercangar, Gerold, Bero, Hildigern, Hroccolf."

Das alles hat sein Sohn Ludwig, der nach dem Willen Gottes sein Nachfolger war, nach Durchsicht dieser Urkunde, so schnell er konnte nach seinem Tode mit der größten Gewissenhaftigkeit ausführen lassen.

[1] Von Besançon.
[2] Von Lyon.
[3] Von Arles.
[4] Von Orleans.
[5] Von Amiens.
[6] Von Basel.
[7] Von Lüttich.
[8] Von St. Martin in Tours und von St. Bertin im Artois.
[9] Von Lorsch.
[10] Von Centulum, St. Riquier bei Abbeville in der Picardie.
[11] Von St. Germain in Paris.

Der Mönch von St. Gallen über die Taten Karls des Großen

Als Karl III. 883 das Kloster in St. Gallen besuchte, fand er einen älteren Mönch, dessen Gedächtnis noch in die Zeit des großen Karl reichte und der die Geschichten zu erzählen wußte, welche er einst von des tapferen Gerolds Waffengefährten, von Adalbert und dessen Sohne, dem Priester Weinbert, gehört hatte. Karl III., von dem sonst wenig Löbliches zu berichten ist, hatte an diesen Geschichten solche Freude, daß er den guten Bruder veranlaßte, sie aufzuschreiben; emsig ging er an die Arbeit, scheint sie aber nicht vollendet zu haben. In diesem Mönche hat man schon bald Notker den Stammler erkannt, aber Pertz widersprach dieser Annahme, weil der Stil gar zu roh und grammatisch fehlerhaft ist, und weil Notker (geboren um 840) damals noch nicht alt genug war, um durch Zahnlosigkeit zum Stammler geworden zu sein. Es scheint jedoch, daß er durch einen Naturfehler gestammelt und überdies an der Gicht gelitten hat, und die Vergleichung der Ausdrucksweise hat den vollkommen überzeugenden Nachweis gestattet, daß wirklich Notker der Verfasser dieses anmutigen Buches gewesen ist, an welchem man schon früh und vielfach Gefallen gefunden und das man daher trotz seiner mangelhaften Form mit Einhards Meisterwerk verbunden hat. Hier finden wir den reichen Schatz von Erzählungen und Sagen aufgezeichnet, welche sich im Munde des Volkes an Karl, an seinen Sohn, und den Enkel, Ludwig den Deutschen, knüpften. Da ist nun nichts mehr von Einhards klassischer Form zu finden, die Sprache ist etwas schwerfällig und unbeholfen und der Inhalt keine Geschichte; nur selten und mit großer Vorsicht ist ein Vorfall, der hier erzählt wird, als wirkliche Tatsache hinzunehmen.

Aber um keinen Preis möchten wir doch diese Sammlung entbehren. Sie zeigt uns das Bild des großen Kaisers, wie es im Volke lebte und bis dahin sich gestaltet hatte, und mancher höchst charakteristische Zug hat sich nur hier erhalten. Der gute, treuherzige Mönch, der uns so lebendig mitten unter das Volk und seine Erzählungen führt, hat deshalb den größten Anspruch auf unseren Dank, und wir müssen sehr bedauern, daß er sein Werk, wie es scheint, nicht vollendet hat.

Aus dem ersten Buch

(14) Wenn Karl auf seinen Reisen an einem Bistum vorbei-
kam, er konnte es kaum umgehen. Der Bischof aber wollte
ihn gerne nach Gebühr aufnehmen, und verwandte in seinem Dienst alles, was er auftreiben konnte. Als nun einmal
der Kaiser unerwartet ankam, da eilte der Bischof in großer
Unruhe wie eine Schwalbe hin und her, ließ nicht nur die
Kirchen und Häuser, sondern auch die Höfe und selbst die
Straßen ausfegen, und zog ihm dann sehr müde und ver-
drießlich entgegen. Der fromme Karl bemerkte das, mu-
sterte alles mit den Augen und sprach zum Bischof: „Du
bist der beste Wirt, immer läßt du zu unserm Empfang
alles aufs Schönste säubern." Dieser erzitterte, gleich wie
von göttlicher Stimme angeredet, ergriff die siegreiche
Rechte, küßte sie und erwiderte, seinen Unwillen so gut er
konnte verbergend: „Recht ist es Herr, daß, wohin ihr
kommt, alles bis auf den Grund ausgekehrt werde." Karl,
der weiseste aller Könige, erkannte den Sinn der Worte,
und sprach: „Verstehe ich auszuleeren, so kann ich auch
wieder füllen." Dann setzte er hinzu: „Nimm jenes königliche Gut, das bei deinem Bischofssitz liegt, und behalte es
für dich und für deine Nachfolger auf ewige Zeiten."

(15) Auf derselben Reise kam er unerwartet zu einem
andern Bischof, dessen Stadt auch nicht zu umgehen war.
Fleisch wollte er an dem Tage nicht essen, weil es Freitag

war, Fische aber konnte der Bischof nach der Lage des
Ortes nicht gleich bekommen, daher setzte er ihm vortrefflichen und vor Fettigkeit gelblichen Käse vor. Karl der
immer dieselbe Mäßigung bewies, vermied es den Bischof
in Verlegenheit zu setzen, und verlangte nichts weiter, sondern nahm sein Messer, warf die Rinde, die ihm abscheu-
lich vorkam, weg, und aß das Weiße des Käses. Der Bischof
aber der zu seiner Bedienung neben ihm stand, trat hinzu
und sagte: „Warum tust du das, Herr Kaiser? Das, was du
wegwirfst, ist gerade das Beste." Karl dem alle Arglist
fremd war, und der darum auch nicht glaubte, daß ein
anderer ihn anführen könne, kostete nach dem Rat des
Bischofs etwas von jener Rinde und schluckte es wie Butter
hinunter. Er fand den Rat gut, und sagte: „Du hast wahr
gesprochen, mein lieber Wirt, und, fügte er hinzu, vergiß
doch nicht, mir jedes Jahr zwei Wagen voll solcher Käse
nach Aachen zu schicken." Der Bischof erschrak über die
Unmöglichkeit der Sache, und glaubte sich schon in Gefahr, seine Stellung und sein Amt zu verlieren. „Herr, erwiderte er, Käse kann ich wohl anschaffen, aber ich kann
nicht erkennen, welche so und welche anders sind; darum
fürchte ich, mir Tadel von euch zuzuziehen." Karl dem
auch Neues und Ungewöhnliches nie verborgen und dun-
kel blieb, sagte zum Bischof, der doch bei dergleichen groß
geworden war und sich noch nicht darauf verstand:
„Schneide jeden mitten durch, und die du so beschaffen
findest, die füge mit einem spitzigen Stäbchen wieder zusammen, tu sie in ein Faß, und schicke sie mir; die übrigen
aber behalte für dich, deine Geistlichkeit oder dein Hausgesinde." Das geschah zwei Jahre, ohne daß der König sich
etwas anmerken ließ; im dritten Jahre kam der Bischof
schon selbst, um persönlich darzubieten, was er mit so viel

Mühe aus so weiter Entfernung her gebracht hatte. Da hatte Karl voll Gefühl für Gerechtigkeit, wie er war, Mitleid mit seiner Sorge und Mühe, und gab ihm zu seinem Bistum einen vortrefflichen Meierhof für sich und seine Nachfolger, um davon Getreide und Wein für seinen und seiner Leute Bedarf zu beziehen.

(16) Nachdem ich nun erzählt habe, wie der weise Karl die Demütigen erhöhte, will ich auch berichten, wie er die Hochmütigen erniedrigte. Es gab einen Bischof voll Eitelkeit und überaus begierig nach unnützen Dingen. Als der kluge Karl dies bemerkte, befahl er einem jüdischen Handelsmann, der oft ins gelobte Lande zu ziehen und von dort übers Meer viele Kostbarkeiten und fremdartige Gegenstände mitzubringen pflegte, jenen Bischof auf irgend eine Weise anzuführen oder zum Besten zu haben. Der fing sich eine gewöhnliche Maus, bereitete sie mit verschiedenen Spezereien zu, und bot sie dem Bischof zu Kauf an; aus Judäa, sagte er, habe er dieses höchst kostbare und noch nie gesehene Tier mitgebracht. Jener freute sich ausnehmend, und bot ihm drei Pfund Silber für ein so wertvolles Ding. Da rief der Jude: „Ein schöner Preis für ein so kostbares Stück! Lieber werfe ich es ins Meer, wo es am tiefsten ist, als daß irgendjemand es für einen so geringen und erbärmlichen Preis erhalten sollte." Jener, der sehr reich war, und niemals etwas an die Armen gab, versprach ihm 10 Pfund, um den unvergleichlichen Schatz zu erwerben. Da stellte sich der verschlagene Kaufmann sehr unwillig an und sagte: „Das verhüte der Gott Abrahams, daß ich so meine Mühe und Kosten verlieren sollte!" Der geizige Pfaffe, der den Schatz gar zu gerne haben wollte, bot 20 Pfund, der Jude aber wickelte zornig die Maus in ein sehr kostbares seidenes Tuch, und fing an wegzugehen. Da war

der Bischof angeführt – aber er sollte noch erst recht angeführt werden – er rief den Juden zurück, und gab ihm ein volles Maß Silber, um die große Kostbarkeit zu erlangen. Der Handelsmann ließ sich noch erst viel bitten, und willigte nur sehr zögernd ein; das Geld brachte er dann dem Kaiser und erzählte ihm das alles. Nicht lange darauf rief der König alle Bischöfe und Vornehmen dieses Landes zur Besprechung, und nachdem man über viele notwendige Dinge verhandelt hatte, ließ er jenes Geld herbeibringen und in die Mitte des Saales legen. Dann sagte er: „Ihr Bischöfe, unsere Väter und Vormünder, den Armen, vielmehr Christus selbst in ihnen, solltet ihr dienen, und nicht nach eitlen Dingen trachten. Nun aber verkehrt ihr alles ins Gegenteil, und ergebt euch leerer Eitelkeit und Habsucht mehr als alle übrigen Sterblichen. Einer von euch, fuhr er fort, hat so viel Silber an einen Juden gegeben für eine gewöhnliche einbalsamierte Maus.“ Jener aber, der auf solcher schmählichen Tat ertappt war, stürzte ihm zu Füßen und bat um Verzeihung für sein Vergehen. Der König hielt ihm seine Torheit nach Gebühr vor und ließ ihn dann beschämt gehen.

(17) Derselbe Bischof blieb, als der streitbare Karl mit dem Hunnenkriege beschäftigt war, zum Schutze der glorreichen Hildegard zurück. Diese war so freundlich gegen ihn, daß er Mut bekam, und seine Keckheit stieg zu solcher Höhe, daß er sich den goldenen Stab des unvergleichlichen Karl, den dieser nach seiner Größe hatte machen lassen, um ihn an Festtagen als Stütze zu tragen, unverschämter Weise zu einem Bischofsstabe ausbat. Sie hielt ihn listig hin, und sagte sie wage nicht, ihn jemandem zu geben, aber sie wolle beim Könige getreulich darum für ihn bitten. Als dieser zurückkam, sagte sie ihm scherzend, um was der

törichte Bischof sie gebeten hatte. Der König ging mit Freuden auf ihre Bitte ein, und versprach noch mehr zu tun, als jener wünschte. Als nun fast ganz Europa sich um Karl nach dem Sieg über ein so furchtbares Volk versammelt hatte, sprach er vor allen Vornehmen und Geringen folgendermaßen: „Die Bischöfe sollten das Irdische verachten, und anderen das Beispiel geben, vor allem nach dem Reich Gottes zu trachten. Nun aber sind sie vor allen andern von solchem Ehrgeiz ergriffen, daß einer von ihnen, nicht zufrieden mit der bischöflichen Würde, die er in der ersten Stadt Deutschlands bekleidet, unser goldenes Zepter, das wir zum Zeichen unserer Herrschaft zu tragen pflegen, zu einem Bischofsstab ohne unser Wissen sich zu verschaffen gesucht hat." Da erkannte der Schuldige seine Schuld und bat um Verzeihung.

[...]

(26) Während aber durch solche und ähnliche Ränke der Rest der Sterblichen vom Teufel und dessen Dienern verlockt wird, ist es erfreulich zu betrachten, wie der Ausspruch des Herrn, da er das feste Bekenntnis des heiligen Petrus belohnend sagte: „Du bist Petrus und auf diesen Felsen will ich bauen meine Gemeinde und die Pforten der Hölle sollen sie nicht überwältigen", wie dieser, sage ich, auch in unseren gefahrvollen und verderbten Tagen fest und unerschütterlich bleibt. Wie zwischen Nebenbuhlern immer Neid und Haß wütet, so war es bei den Römern herkömmlich und gewöhnlich, daß sie gegen alle Männer von einiger Bedeutung, die, jeder zu seiner Zeit, auf den päpstlichen Stuhl erhoben wurden, fortwährend abgeneigt oder vielmehr feindlich waren. Daher kam es, daß einige von ihnen, durch Neid verblendet, dem Papst Leo, den wir schon oben erwähnten, Schuld für ein todeswürdiges Ver-

brechen gaben, und einen Versuch machten, ihn zu blen-
den. Allein durch göttliche Veranstaltung wurden sie abge-
schreckt und zurückgehalten, so daß sie ihm nicht die
Augen ausrissen, sondern nur mit Schermessern mitten
durchschnitten. Leo ließ dies heimlich durch seine Vertrauten dem Kaiser Michael in Konstantinopel melden, aber
dieser entzog ihm alle Hilfe, mit den Worten: „Der Papst
hat selbst ein Reich für sich, und ein besseres als wir; möge
er sich nun auch selbst gegen seine Feinde Recht schaffen."
– Da folgte jener heilige Vater dem göttlichen Ratschlag,
daß derjenige, der in der Tat schon Herrscher und Heer-
führer über die meisten Völker war, zu noch höherem
Ruhm auch den Namen eines Imperators, Cäsars und Augustus durch apostolische Befugnis erhielte, und forderte
den siegreichen Karl auf, nach Rom zu kommen. Dieser
stets zur Heerfahrt und zum Krieg gerüstet, machte sich
sogleich ohne Verzug mit seinen Dienern und seinem Gefolge auf den Weg, doch ohne von der Ursache der Beru-
fung etwas zu wissen, er, das Haupt des Erdkreises, zu der
Stadt, die einst das Haupt des Erdkreises war. Als das
verderbte Volk seine unerwartete Ankunft erfahren hatte,
versuchten sie, wie die Sperlinge sich vor dem Anblicke
ihres Herrn, wenn er sie ruft, zu verstecken pflegen, in
verschiedenen Schlupfwinkeln, Grüften und Verstecken
sich zu verbergen. Aber da sie seiner Sorgfalt und Klugheit
auf der ganzen Erde nicht entgehen konnten, wurden sie
gefangen und in Fesseln zur Kirche des heiligen Petrus
geführt. Hier nahm der unsträfliche Vater Leo das Evangelium unseres Herrn Jesus Christus, legte es auf sein Haupt
und sprach vor Karl und dessen Rittern, auch in Gegenwart seiner Verfolger diesen Eid aus: „So möge ich am
Tage des großen Gerichts Teil am Evangelium haben, wie

ich frei bin von der Schuld, die mir fälschlich von jenen vorgeworfen wird.[1]" Und alsbald sagte der furchtbare Karl zu den Seinen: „Seht wohl zu, daß keiner von jenen entkomme." Alle wurden daher ergriffen, und zu verschiedener Todesart oder unwiderruflicher Verbannung verurteilt. Während er aber dort einige Tage zur Pflege seines Heeres verweilte, berief der apostolische Vater aus den benachbarten Gegenden so viele Menschen, wie er konnte, nach Rom, und vor diesen und den unbesiegbaren Gefährten des glorreichen Karl ernannte er ihn, der nichts weniger vermutete, zum Kaiser und zum Schutzherrn der Römischen Kirche. Ablehnen konnte dieser es nicht, weil er es für eine göttliche Fügung hielt, aber er nahm es nicht gerne an, weil er glaubte, die Griechen würden von heftigerem

---

[1] Im Kloster S. Florian befindet sich eine, vormals dem Kloster Wiblingen gehörende Handschrift dieses Werkes, vom Ende des dreizehnten Jahrhunderts, deren zahlreiche Abweichungen der Herr Pfarrer Stülz uns freundlichst mitgeteilt hat. In dieser findet sich hier der folgende Zusatz: „Es waren aber unter den Gefangenen sehr viele, die baten, man möge ihnen erlauben an der Stätte des heiligen Petrus durch einen Eidschwur zu erhärten, daß sie an dem Verbrechen keinen Anteil hätten. Der Papst aber, dem ihre Leichtfertigkeit wohl bekannt war, sprach zu Karl: Ich bitte dich, siegreicher Held Gottes, daß du ihnen ihre List nicht hingeben läßt. Denn sie wissen sehr wohl, daß niemand so leicht wie der heilige Petrus sich erbitten läßt, Verzeihung zu gewähren. Deshalb also laß unter den Gräbern der heiligen Blutzeugen suchen, bis sich die Aufschrift findet, die dem Andenken des dreijährigen Knaben Pankratius gesetzt ist. Denn wenn sie dir dort geschworen haben, dann magst du sie für sicher halten. Es geschah aber, wie der Papst es verlangt hatte. Und da eine große Volksmenge voll Zuversicht hinzu schritt, stürzten einige von ihnen starr zu Boden, andere aber waren von bösen Geistern besessen und redeten irre." Vgl. der Brüder Grimm deutsche Sagen.

Neid entbrennend, auf den Schaden des Frankenreichs be-
dacht sein, und mit erhöhter Vorsicht Sorge tragen, daß
nicht, wie man sich damals erzählte, Karl unverhofft käme,
und ihr Reich seiner Herrschaft unterwerfe. Besonders aber
waren schon früher Gesandte des byzantinischen Königs zu
ihm gekommen und hatten von ihrem Herren ihm berichtet, er wolle sein treuer Freund sein, und wenn die Entfernung nicht so groß wäre, möchte er ihn wie einen Sohn
halten und seiner Armut zu Hilfe kommen, der großherzige Karl aber konnte schon damals die brennende Glut
nicht in der Brust bergen, sondern rief aus: „O daß doch
dieser kleine Abgrund des Meeres nicht zwischen uns wäre!
Dann würden wir vielleicht die Schätze des Ostens teilen,
oder gemeinsam zu gleichen Teilen besitzen." Das pflegen
die, die Armut Afrikas nicht kennen, vom afrikanischen
König zu erzählen. Die Unschuld des seligen Papstes Leo
aber hat der Geber und Hersteller alles Guten dadurch
bezeugt, daß er ihm nach jener grausamen Durchschnei-
dung, die ihn strafen sollte, hellere Augen wiedergab, als er
je gehabt hatte; nur zierte zum Zeichen dieses Wunders
eine überaus schöne Narbe gleich einem feinen Faden seine
Taubenaugen mit schneeweißem Glanz.

(27) Damit aber nicht unwissende Menschen mich der
Unwissenheit beschuldigen, weil ich von dem Meer, das
der größte Kaiser einen kleinen Abgrund nannte, nach
seinen Worten berichtet habe, es liege zwischen uns und
den Griechen, so mag, wer will, erfahren, daß damals noch
Hunnen und Bulgaren und viele andere furchtbare Völker
unberührt und unbesiegt waren und den Landweg nach
Griechenland verwehrten. Nachher hat sie alle der streitbare Karl zu Boden geschmettert, wie das ganze Geschlecht der Slaven und der Bulgaren, aber völlig vernich-

tet, wie das Volk und den Namen der eisernen und demanntnen Hunnen. Davon werde ich bald mehr erzählen, vorher aber will weniges berichten von den Gebäuden, die der Cäsar Augustus und Kaiser Karl bei den Aachener Heilquellen nach dem Beispiel des weisen Salomo Gott, und sich, und allen Bischöfen, Äbten, Grafen, kurz für alle Gäste, die aus dem ganzen Erdkreis zu ihm kamen, in wundersamer Pracht errichtet hat.

(28) Als der rüstige Kaiser Karl zu einiger Ruhe gelangen konnte, wollte er doch nicht in Muße feiern, sondern für den Dienst Gottes arbeiten, so daß er es unternahm, in seinem Vaterland eine Kirche, herrlicher als die alten Werke der Römer, nach eigenem Plan zu erbauen, und in kurzer Zeit sein Ziel erreicht sah. Zu diesem Bau berief er von allen Ländern diesseit des Meeres Meister und Werkleute aller Künste dieser Art, und setzte über alle einen Abt, der an Einsicht allen überlegen war, zur Ausführung des Werkes, da er seine Listen nicht kannte. Aber sobald der Kaiser sich irgendwohin entfernte, entließ jener für Geld, wen er wollte; die aber, die sich nicht loskaufen konnten, oder nicht von ihren Herren ausgelöst wurden, bedrückte er mit unendlicher Anstrengung, so wie einst die Ägypter das Volk Gottes mit schwerem Frohndienst plagten, so daß er sie nie auch nur ein wenig ausruhen ließ. Als er nun durch solchen Betrug eine ungeheure Masse Gold und Silber, nebst seidenen Stoffen, zusammen gebracht hatte, und das Geringere in seiner Kammer aufhing, das Kostbarere aber in Kisten und Schreinen verschloß, da wurde ihm plötzlich gemeldet, daß sein Haus in Flammen stehe. Er eilte herbei, brach mitten durch die Flammen in das Gemach, wo die Kasten voll Gold aufbewahrt wurden, und weil er nicht mit einem allein hinaus gehen wollte,

nahm er auf jede Schulter einen und eilte zum Ausgang. Da stürzte ein sehr großer Balken, vom Feuer durchgebrannt, auf ihn nieder, und verzehrte seinen Körper durch das irdische Feuer, seine Seele aber sandte er zu dem Feuer, das nicht von Menschenhänden angezündet wird. So wachte das Gericht Gottes für den frommen Karl, wo er selbst, durch die Reichsgeschäfte verhindert, weniger acht gab.

(29) Dort war ein anderer Meister, der in allen Werken aus Erz und Glas alle übrigen übertraf. Als nun Tanko, ein Mönch aus Sankt Gallen, eine sehr schöne Glocke gegossen hatte, und der Kaiser ihren Ton nicht wenig bewunderte, sagte jener ausgezeichnete, aber unselige Meister: „Herr Kaiser, laß mir viel Kupfer bringen, daß ich es ganz lauter koche, und statt Zinn gib mir so viel dazu nötig ist an Silber, wenigstens 100 Pfund, so gieße ich dir eine solche Glocke, daß im Vergleich mit ihr diese verstummen soll." Der freigebigste aller Könige, der sein Herz nicht an die Schätze hing, die ihm zuströmten, ließ sich leicht zu dem Befehl bewegen, man solle ihm alles geben, was er verlangte. Jener Elende nahm das alles und ging vergnügt davon; dann schmolz und läuterte er das Kupfer, anstatt des Silbers aber tat er sorgfältig gereinigtes Zinn dazu, und brachte so in kurzer Zeit von dem gemischten Metall eine Glocke zustande, die noch viel besser war als jene schöne; dann prüfte er sie und zeigte sie dem Kaiser. Dieser bewunderte sie sehr wegen ihrer schönen Form, und befahl den Klöpfel darin zu befestigen und sie im Glockenturm aufzuhängen. Als das ohne Verzug geschehen war, und nun der Küster und die übrigen Kirchner, sowie auch Schüler, die da gerade zur Hand waren, sich nach einander anstrengten sie zum Läuten zu bringen, aber ganz vergeblich, da wurde

endlich der Meister des Werkes und Urheber so unerhörten Betruges ungeduldig und fing selbst an, an dem Glockenstrang zu ziehen. Und siehe, das Eisen stürzte aus der Mitte heraus und traf mit dem Gewicht seiner Sünden auf seinen Nacken; durch den schon toten Leichnam drang es durch und kam mit den Eingeweiden zur Erde. Das erwähnte Silber aber fand der gerechte Karl und ließ es unter den Bedürftigen an seinem Hof verteilen.

(30) In jenen Zeiten pflegte man es so zu halten: wo nach kaiserlichem Gebot ein Werk zu unternehmen war, Brücken oder Schiffe zu bauen, oder Fähren, oder schlammige Wege zu reinigen, zu pflastern oder auszufüllen, dergleichen besorgten die Grafen durch ihre Stellvertreter und Beamten, wenn die Sache nicht von Bedeutung war; den wichtigeren Arbeiten aber und besonders, wo etwas neu zu bauen war, durfte sich kein Herzog oder Graf, kein Bischof noch Abt auf irgendeine Weise entziehen. Davon geben noch die Ruinen der Mainzer Brücke Zeugnis, die ganz Europa in gemeinsamer, aber wohl verteilter Arbeit vollendet hat, die aber die Hinterlist einiger Böswilligen, die von dem Fährgeld sich unbilligen Sold erwerben wollten, vernichtet hat. Wenn Kirchen, die unmittelbar zum königlichen Gut gehörten, mit Täfelwerk oder mit Wandgemälden zu schmücken waren, so besorgten das die nächsten Bischöfe oder Äbte. Waren sie aber neu zu errichten, so mußten alle Bischöfe, Herzöge und Grafen, auch alle Äbte oder, wer sonst königlichen Kirchen vorstand, nebst allen, die Lehen vom König hatten, sie vom Grund bis zum Giebel mit der emsigsten Arbeit aufführen, wie das noch zu merken ist, nicht allein an jener Kirche Gottes, sondern auch an dem Schloß in Aachen, und den Wohnungen für alle Leute aus jedem Stand, die um die Pfalz des klugen

Karl nach seiner Anweisung so erbaut sind, daß er durch
das Gitterwerk seines Söllers alles sehen konnte, was von
ein- und ausgehenden anscheinend verborgen geschah.
Aber auch alle Wohnungen seiner Vornehmen waren so
hoch aufgeführt, daß unter ihnen nicht nur die Lehensleute
seiner Ritter und deren Diener, sondern Leute aller Art vor
Schnee und Regen, vor Frost und Hitze sich schützen
konnten, und sie doch vor den Augen des scharfsichtigen
Karl sich nicht zu bergen vermochten. Doch die Beschreibung des Gebäudes überlasse ich eingeschlossener Mönch
euren hochgelehrten Kanzlern, und wende mich zur Erzählung des göttlichen Gerichtes, welches dabei sich ereig-
nete.

Aus dem zweiten Buch

(5) Unter solchen Beschäftigungen unterließ es jedoch der großherzige Kaiser keineswegs, bald diese bald jene mit Briefen oder Geschenken zu den entferntesten Königen zu senden, von denen an ihn Ehrenbezeugungen aller Länder gerichtet wurden. Da er also auch von dem Schauplatz des sächsischen Krieges Gesandte an den König von Konstantinopel schickte, fragte dieser, ob das Reich seines Sohnes Karl in Frieden sei oder ob es von den benachbarten Völkern angegriffen werde. Und als der erste der Gesandtschaft berichtete, es sei sonst alles friedlich, nur ein Volk, die Sachsen genannt, beunruhigte die Grenzen der Franken durch häufige Raubzüge, da sagte der im Müßiggang versunkene und zur Kriegsführung untaugliche Mensch: „Ach, warum bemüht sich mein Sohn gegen so wenige Feinde ohne Namen und Kraft? Ich schenke dir jenes Volk mit allem, was dazu gehört." Das meldete jener nach seiner Rückkehr dem kriegerischen Karl, worauf dieser lachend sagte: „Der König hätte viel besser für dich gesorgt, wenn er dir nur eine leinene Hose zu einer so weiten Reise geschenkt hätte."

(6) Die Klugheit darf ich nicht verschweigen, die derselbe Abgesandte gegen einen Weisen Griechenlands an den Tag legte. Als er im Herbst einmal mit seinen Gefährten in eine königliche Stadt gekommen war, wurden sie

verschieden verteilt und er selbst bei einem Bischof ein-
quartiert, der immer mit Fasten und Beten sich kasteiete,
und den Gesandten durch fast ununterbrochenen Hunger
peinigte; als im Frühjahr aber die Witterung schon etwas
milder geworden war, stellte er ihn dem König vor. Der
fragte ihn auch, was er von dem Bischof halte. Jener aber
stieß aus innerster Seele einen tiefen Seufzer aus und sagte:
„Gar heilig ist euer Bischof, so weit das ohne Gott möglich
ist." Erstaunt fragte der König: „Wie kann denn jemand
ohne Gott heilig sein?" Darauf jener: „Es steht geschrieben: Gott ist die Liebe, und die hat der Bischof nicht." Der
König lud ihn darauf an seine Tafel ein und gab ihm seinen
Platz mitten unter den Fürsten. Diese hatten ein Gesetz
eingeführt, daß niemand an der königlichen Tafel, möge er
einheimisch oder fremd sein, ein Tier oder einen Teil desselben auf die andere Seite wenden dürfe, sondern nur so
wie es ihm vorgelegt war, von oben ab essen müsse. Man
brachte ihm aber einen Flußfisch, mit gewürzter Brühe
übergossen, auf einer Schüssel; und als der Gast, der jene
Sitte nicht kannte, den Fisch auf die andere Seite legte,
erhoben sich alle und sprachen zum König: „Herr, ihr seid
so beschimpft worden, wie eure Vorfahren noch nie." Dieser aber seufzte und sagte zum Gesandten: „Ich kann jenen
nicht verwehren, daß du nicht unverzüglich zum Tod geführt werdest. Bitte um etwas anderes, was du willst, und
ich werde es dir gewähren." Da dachte er ein wenig nach
und rief dann, so daß alle es hörten, diese Worte aus: „Ich
beschwöre euch, Herr Kaiser, daß ihr mir nach euerm
Versprechen eine kleine Bitte gewährt." Und der König
sagte: „Fordere, was du nur immer willst, und du sollst es
haben, nur das Leben kann ich dir nicht gegen das Gesetz
der Griechen gewähren. Drauf jener: „Um das eine bitte

ich, da ich doch sterben muß, daß derjenige, der sah, daß
ich jenen Fisch umwendete, das Licht der Augen verliere."
Erschrocken über eine solche Forderung, schwor der König
bei Christus, daß er selbst es nicht gesehen habe, sondern
nur denen glaube, die es erzählt hätten. Darauf fing die
Königin an sich zu entschuldigen: „Bei der Freude geben-
den Gottesmutter, der heiligen Maria, ich habe es nicht
bemerkt." Darnach versuchten die übrigen Fürsten, der
eine noch dem andern zuvorkommend, um sich einer solchen Gefahr zu entziehen, dieser beim Führer der himmlischen Schlüssel, der bei dem Lehrer der Heiden, die übrigen bei der Macht der Engel und allen Scharen der Heiligen, sich mit erschrecklichen Eiden von dieser Schuld los
zu machen. So überwand jener kluge Franke das eitle Hel-
las am eigenen Herd, und kehrte siegreich und wohlbehal-
ten in sein Vaterland zurück. Nach einigen Jahren aber
schickte der unermüdliche Karl einen Bischof dahin, einen
an Geist und Körper gleich ausgezeichneten Mann, dem er
zum Begleiter einen hochadligen Herzog gab.[1] Diese
wurden lange hingehalten, endlich dem König vorgestellt,
aber schlecht behandelt und an ganz entlegene Orte verteilt. Endlich entlassen, kehrten sie mit großem Schaden an
ihrem Schiff und Gepäck nach Hause zurück. Nicht lange
nachher schickte derselbe König Gesandte an den glorreichen Karl. Es traf sich aber zufällig, daß gerade jener Bischof mit dem Herzog beim Kaiser war. Als aber die Ankunft der Gesandten gemeldet wurde, gaben sie dem weisen Karl den Rat, sie durch die Alpen und unwegsame
Gegenden herumführen zu lassen, bis sie alles verbraucht

---

[1] In der Wiblinger Handschrift wird dieser Hugo genannt.

und verzehrt hätten, und durch großen Mangel erschöpft
vor ihn zu kommen genötigt würden. Als sie nun ankamen,
ließ der Bischof oder sein Genosse den Marschall sich in der
Mitte seiner Untergebenen auf einen hohen Sessel setzen,
so daß man ihn gar nicht für einen andern als den Kaiser
halten konnte. Die Gesandten, wie sie ihn sahen, warfen
sich auf den Boden und wollten ihn begrüßen. Aber von
den Dienern zurückgestoßen, wurden sie genötigt, weiter
vorzugehen. Da sahen sie den Pfalzgrafen in der Mitte der
Großen zu Gericht sitzen, hielten ihn für den Kaiser und
warfen sich auf den Boden. Aber auch von hier wurden sie
mit Schlägen vertrieben – nicht dieser ist der Kaiser! riefen
die Anwesenden, und weiter vorgehend fanden sie nun den
königlichen Truchseß mit schön geschmückten Dienern.
Wieder hielten sie ihn für den Kaiser und fielen zur Erde
nieder, aber auch hier zurückgestoßen, fanden sie im innern Gemach die Kämmerer des Kaisers um ihren Herrn,
von dem es gar nicht zweifelhaft schien, daß er der Gebieter der Sterblichen sein könne. Doch auch dieser leugnete,
daß er das sei, was er auch wirklich nicht war, versprach
aber, sich mit den Ersten des Palastes zu bemühen, damit
sie, wenn es möglich wäre, vor die Augen des erhabenen
Kaisers gelangen möchten. Da wurden von der Seite des
Kaisers einige abgeschickt, um sie ehrenvoll hineinzufüh-
ren. Der glorreiche Karl stand aber an einem hellen Fen-
ster, strahlend wie die Sonne beim Aufgang, mit Gold und
edeln Steinen geschmückt, gestützt auf den Heitto. Das
war nämlich der Name des Bischofs[1], der früher nach
Konstantinopel gesandt war. Von allen Seiten umgab es

[1] Von Basel.

ihn wie die himmlischen Heerscharen, nämlich seine drei
jungen Söhne, die schon am Reich Teil erhalten hatten,
und die Töchter mit ihrer Mutter, nicht weniger mit Weisheit und Schönheit als mit Geschmeide geziert; Bischöfe
unvergleichlich an Gestalt und Tugend, und die durch
hohe Abkunft und Heiligkeit vorzüglichsten Äbte; Herzöge
aber so wie einst Josua im Lager vom Galgala erschien,
und Kriegsleute wie die, die die Syrer mit den Assyriern
aus Samaria verjagten, so daß David, wenn er dort gewesen wäre, mit Recht gesungen hätte: „Ihr Könige auf
Erden und alle Leute, Fürsten und alle Richter auf Erden,
Jünglinge und Jungfrauen, Alte mit den Jungen sollen
loben den Namen des Herren." Da wurden die Gesandten
der Griechen überaus bestürzt, der Atem verging ihnen,
und ganz ratlos fielen sie stumm und wie leblos zu Boden.
Der gütige Kaiser aber erhob sie und suchte sie durch
trostreiche Zusprache zu ermutigen. Endlich erholten sie
sich etwas; als sie aber den einst verhaßten und von ihnen
verstoßenen Heitto in solcher Ehre sahen, entsetzten sie
sich von neuem und lagen so lange auf der Erde, bis der
König ihnen bei dem Herrn der Heerscharen schwor, er
werde ihnen in keiner Weise ein Leid zufügen. Durch dieses
Versprechen ermutigt, fingen sie an etwas zuversichtlicher
aufzutreten, und in ihr Vaterland heimgekehrt, sind sie nie
wieder in unsere Gegenden gekommen. Hier nun glaube
ich ausführen zu müssen, wie überaus weise Männer der
herrliche Karl in jeder Weise hatte.

(7) Da also die Griechen, nachdem die Metten an der
Oktave der Theophanie[1] vor dem Kaiser gefeiert waren,

---

[1] Das Fest der Erscheinung Christi, 6. Januar.

insgeheim in ihrer Sprache Gott lobsangen[1], und jener in
der Nähe verborgen sich an der Süßigkeit der Lieder er-
götzte, befahl er seinen Geistlichen nicht eher etwas zu
genießen, bis sie dieselben Antiphonen ins Lateinische
übersetzt, ihm überreicht hätten. Daher kommt es, daß alle
aus demselben Ton sind, und in einer von ihnen conteruit
für contrivit geschrieben steht. Dieselben Gesandten brachten auch alle Arten von musikalischen Instrumenten nebst
verschiedenen anderen Dingen mit sich. Alles das betrach-
teten sich die Werkleute des einsichtigen Karl, ohne sich
etwas anmerken zu lassen, und bildeten es sehr genau nach;
vorzüglich aber jenes vortrefflichste aller Instrumente, das
vermittelst der mit Luft gefüllten ledernen Blasbälge, die
wunderbar durch eherne Pfeifen blasen, das Rollen des
Donners durch die Kraft des Tones und das leichte Ge-
schwätz der Leier oder Cimbel an Süßigkeit erreichte. Wo
das nun aufgestellt wurde, wie lange es gedauert hat, und
wie es später unter anderen Verlusten des Staates zugrunde
ging, das schickt sich nicht an diesem Ort und in dieser Zeit
zu erzählen.

(8) Zur gleichen Zeit wurden auch Gesandte der Perser
an ihn geschickt. Diese kannten die Lage des Frankenlan-
des nicht, und hielten es für eine große Leistung, wenn es
ihnen gelänge, das Ufer Italiens zu erreichen, um des Ruh-

---

[1] In der Wiblinger Handschrift lautet das Folgende so: „mit Antiphonen solcher Melodie und des Inhaltes, wie die, die beginnt:
Veterem hominem usw. da befahl der Kaiser einem seiner Kapläne,
der des Griechischen mächtig war, er solle denselben Inhalt in
derselben Melodie ins Lateinische übertragen, und sorgsam Acht
geben, daß jedem Ton der Melodie eine Silbe entspreche, damit,
soweit es zu erreichen möglich sei, kein Unterschied stattfände.
Daher kommt es usw."

mes der Stadt Rom willen, über welche er herrschte, wie sie
erfahren hatten. Und da sie den Bischöfen von Campanien
oder Tuscien, Emilien oder Ligurien, und von Burgund
oder Gallien, auch den Äbten und Grafen, die Ursache
ihrer Ankunft angezeigt hatten, und von ihnen hinterlisti-
ger Weise bald aufgenommen, bald abgewiesen waren, fanden sie endlich nach Verlauf eines vollen Jahres in Aachen
den durch seine Tugenden hochberühmten Karl, ganz er-
müdet und erschöpft durch den weiten Umweg. Sie kamen
aber dort an in der großen Woche der Fasten, und da man
sie dem Kaiser gemeldet hatte, hieß er sie bis zum Oster-
abend warten. Als nun an diesem Hauptfest jener unver-
gleichliche Mann ganz unvergleichlich geschmückt war,
befahl er, die Männer aus jenem Volke hereinzuführen, das
einst dem ganzen Erdkreis furchtbar war. Dennoch erschien ihnen der herrliche Karl so schrecklich vor allen
andern, als ob sie noch nie vorher einen König oder Kaiser
gesehen hätten. Er aber nahm sie freundlich auf und ge-
währte ihnen die Gunst, daß sie wie seine Söhne Freiheit
hatten, hinzugehen, wohin sie wollten, und sich alles zu
betrachten, auch nach jedem zu fragen und nachzufor-
schen. Voll Freude darüber, zogen sie es allen Schätzen des
Orients vor, in seiner Nähe zu bleiben, ihn zu betrachten,
ihn zu bewundern. Und auf den Söller steigend, der das
Hauptgebäude der Kirche umgibt, schauten sie hinab auf
die Geistlichkeit und das Heer, und immer wieder zum
Kaiser zurückkehrend, machten sie der Größe ihrer Freude
in Lachen Luft, und die Hände zusammenschlagend sagten sie: „Früher haben wir nur Menschen von Erde gesehen, jetzt aber einen goldenen." Dann traten sie zu den
einzelnen Fürsten, bewunderten die Neuheit der Gewänder und Waffen, und kamen wieder zu dem noch wunder-

bareren Kaiser zurück. Als sie solches in der Nacht und am folgenden Sonntag in der Kirche fortwährend getan hatten, wurden sie am heiligen Tage selbst zu einem herrlichen Mahle des reichen Karl mit den Fürsten Frankens oder ganz Europas eingeladen. Aber durch die wunderbaren Dinge waren sie doch so betäubt, daß sie sich fast nüchtern wieder erhoben.

Wieder bestreut' Aurora mit phöbischem Lichte die Länder
Rings umher, aufsteigend vom Saffranlager Tithonus[1],

siehe da rüstet sich Karl, dem Ruhe und Müßiggang unerträglich sind, zur Jagd auf Wisende oder Auerochsen in den Wald zu ziehen und die Gesandten der Perser mit sich zu nehmen. Als diese jene ungeheuern Tiere sahen, wandten sie sich von großem Schrecken ergriffen zur Flucht. Aber Karl der Held erschrak nicht, sondern auf seinem mutigen Pferd sitzend näherte er sich einem von ihnen, zog sein Schwert, und versuchte ihm das Haupt abzuhauen. Aber der Hieb mißlang und das furchtbare Tier zerriß dem König Stiefel und Hose, und sein Bein treffend, obgleich nur mit der Spitze des Hornes, lähmte es etwas seine Schnelligkeit, und entfloh, durch die vergebliche Wunde gereizt, in eine sichere, durch Baumstämme und Felsblöcke geschützte Schlucht. Und da nun zum Dienst des Königs fast alle ihre Hosen ausziehen wollten, hinderte er sie daran mit den Worten: „In solchem Zustand muß ich zur Hildegard kommen." Isambard aber, der Sohn Warins, des Verfolgers eures Schutzheiligen des Othmar, erreichte das Tier, und da er nicht näher hinanzudringen wagte, durchbohrte er mit der Lanze sein Herz zwischen Hals und

[1] Aus Vergil, Aeneis IV, 6 u. 585.

Schulter und zeigte das noch zuckende Tier dem Kaiser. Der tat, als bemerke er es nicht, ließ das Wild seinen Gefährten, kehrte nach Hause zurück, rief die Königin und zeigte ihr die zerrissenen Hosen mit den Worten: „Was verdient der Mann, welcher mich von einem Feinde, der mir das getan, befreit hat?" Und als sie erwiderte: „Alles Gute", erzählte der Kaiser ihr alles der Reihe nach, und die ungeheuren Hörner als Wahrzeichen ihr vorlegend, bewegte er die Herrscherin zu Tränen und Seufzern, und dazu, daß sie an ihre Brust schlug. Als sie nun gehört hatte, daß der damals verhaßte und aller Ehren beraubte Isambard den Kaiser an solchem Gegner gerächt hatte, warf sie sich diesem zu Füßen und erlangte für Isambard alles zurück, was ihm genommen war, auch fügte sie selbst noch Geschenke hinzu. Die Perser aber brachten dem Kaiser einen Elephanten und Affen, Balsam, Narden und verschiedene Salben, Gewürze, Wohlgerüche und die mannigfachsten Heilmittel, so daß sie den Orient ausgeleert und den Westen angefüllt zu haben schienen. Und da sie sehr vertraut mit dem Kaiser zu verkehren anfingen, sprachen sie eines Tages, als sie schon fröhlicher waren und von stärkendem Griechenwein erhitzt, zum Karl, der immer mit Ernst und Mäßigkeit gewappnet war, scherzhafterweise solche Worte: „Sehr groß ist freilich eure Macht, o Kaiser, aber doch viel kleiner als der Ruf, der von euch die Reiche des Orients erfüllt hat." Als jener das vernommen hatte, verbarg er seinen tiefen Unwillen und fragte sie scherzend: „Warum sprechet ihr so, meine Söhne? oder warum erscheint euch das so?" Jene aber, von Anfang anhebend, erzählten ihm alles, was ihnen diesseits des Meeres begegnet war, und sagten: „Wir Perser und Meder, Armenier und Inder, Parther und Elamiter und alle Völker des

Ostens, fürchten euch noch viel mehr als unsern Herrn den
Harun. Von den Macedoniern aber oder Achivern, was
sollen wir von denen sagen? die schon von Tag zu Tag
größere Furcht empfinden, von eurer Größe verschlungen
zu werden, als von den Fluten des Ionischen Meeres. Auf
den Inseln aber, die wir auf unserer Reise berührt haben,
sind alle so bereit zu eurem Dienst und so eifrig, als wären
sie in eurer Pfalz aufgewachsen und mit allen Wohltaten
überhäuft. Aber hier zu Lande scheint es uns, daß die
Großen sich nicht viel um euch kümmern, ausgenommen
in eurer Gegenwart. Denn wenn wir, als Fremde, sie zuwei-
len ersuchten, uns um euretwillen, da wir ja euch aufsu-
chen wollten, einige Freundlichkeit zu erweisen, so ließen
sie uns ohne Hilfe und Beistand ziehen." Da enthob der
Kaiser alle Grafen und Äbte, bei denen die Gesandten auf
ihrer Reise vorgesprochen hatten, ihrer sämtlichen Ehren;
die Bischöfe aber bestrafte er mit unerschwinglichen Geld-
summen. Aber die Gesandten ließ er mit großer Sorgfalt
und vielen Ehren bis zu ihrer Grenze zurückgeleiten.

(9) Auch von dem König von Afrika kamen Gesandte zu
ihm, welche einen marmarischen Löwen und einen numi-
dischen Bären, nebst iberischem und tyrischem Purpur und
andern Erzeugnissen jener Länder brachten. Diese und die
von fortwährendem Mangel gedrückten Einwohner Li-
byens beschenkte dagegen der freigebige Karl mit den
Reichtümern Europens, nämlich mit Korn, Wein und Öl,
nicht nur dieses Mal, sondern auch während seiner ganzen
Lebenszeit, und mit reichlicher Gabe sie ernährend, erhielt
er sie sich für immer unterworfen und getreu, und bekam
von ihnen ansehnlichen Tribut. Ferner aber schickte der
unermüdliche Karl an den Kaiser der Perser hispanische
Pferde und Maultiere, friesische Tuche von weißer, grauer,

bunter und blauer Farbe, die wie er vernahm, dort selten und sehr kostbar sind; auch Hunde von besonderer Schnelligkeit und Wildheit, wie jener selbst sie gewünscht hatte, um Löwen und Tiger zu fangen. Die übrigen Geschenke nun sah Harun nur obenhin an, und fragte dann die Gesandten, was für wilde Tiere diese Hunde zu bekämpfen pflegten. Und da er zur Antwort erhielt, daß sie alles, wogegen sie losgelassen würden, unverzüglich zerrissen, erwiderte er: „Das wird sich bei der Probe zeigen." Und siehe da, am folgenden Tag erhob sich ein großes Geschrei von Hirten, die vor einem Löwen flüchteten. Als man das am Hof des Königs vernahm, sagte er zu den Gesandten: „O ihr fränkischen Genossen, besteigt eure Pferde und folget mir." Und sogleich, als hätten sie gar keine Anstrengung oder Ermüdung ausgestanden, folgten sie rüstig dem König. Wie sie nun von weitem den Löwen sahen, sagte der Fürst der Fürsten: „Hetzt eure Hunde auf den Löwen." Sie folgten dem Befehl, und eifrigst hinzueilend, töteten sie den von germanischen Hunden gepackten persischen Löwen mit ihren zum blutigen Handwerk aus nordischem Stahl geschmiedeten Schwertern. Als Harun das sah, der tapferste Erbe seines Namens, erkannte er an der kleinen Probe die Stärke Karls, und rief zu seinem Lob diese Worte aus: „Jetzt erkenne ich, wie wahr das ist, was ich von meinem Bruder Karl gehört habe, nämlich, daß er durch rastloses Jagen und unermüdete Anstrengung zur Übung des Körpers und des Geistes alles, was unter der Sonne ist, zu bezwingen gewohnt ist. Was dann kann ich ihm zurücksenden, das seiner würdig wäre, der mich so hat ehren wollen? Wollte ich ihm das Land geben, das dem Abraham verheißen und dem Josua verliehen ist, so kann er es doch der weiten Entfernung halber nicht gegen die Barbaren

verteidigen; oder wenn er nach seiner Großherzigkeit an-
fängt, es zu verteidigen, so fürchte ich, möchten die dem
Frankenreich benachbarten Provinzen sich von seiner
Herrschaft losreißen. Aber dennoch will ich versuchen, auf
solche Weise seiner Freigebigkeit zu entsprechen. Ich werde
das Land in seine Gewalt geben und ich will sein Vogt
darüber sein; er selbst aber möge seine Gesandten an mich
schicken, wann es ihm gefällt oder ihm am passendsten
erscheint, und er wird mich als den treuesten Verwalter der
Einkünfte jenes Landes finden." So geschah es also, daß,
was der Dichter einst als unmöglich aussprach[1], es werde
nämlich

Trinken der Parther des Araris Flut, der Germane den Tigris,

durch die Tätigkeit des starken Karl, die Hin- und Rück-
reise seiner Gesandten sowohl, wie der des Harun von Parthien nach Germanien und von Germanien nach Parthien,
für Jünglinge, Knaben und Greise nicht nur möglich, sondern sogar sehr leicht erschien, welchen Araris nun auch
die Grammatiker annehmen wollen, nämlich den, der sich
in den Rhein ergießt, oder den Nebenfluß der Rhone, weil
das diejenigen verwechseln, die die Gegenden nicht kennen. Zum Zeugnis hierfür werde ich ganz Germanien auf-
rufen, das zu den Zeiten eures glorreichen Vaters Ludwig
genötigt wurde, von jeder Hufe königlichen Landes einen
Denar zu geben zur Auslösung der Christen, die das Land
der Verheißung bewohnen, und dieses wegen der alten
Herrschaft eures Ahnherrn Karl und eures Großvaters
Ludwig kläglich von ihm erflehten.
    [...]

[1] Vergil, Ekloger I, 63.

(12) Jetzt kehren wir zu unserem Gegenstand zurück. Während Karl wegen der häufigen Ankunft von Fremden und der Feindseligkeiten der unbezähmbaren Sachsen, auch der Räubereien und des Seeraubes der Nordmannen und Mauren etwas länger in Aachen verweilte, der Krieg gegen die Hunnen aber unterdessen von seinem Sohn Pippin geführt wurde, kamen vom Norden barbarische Völker und verwüsteten einen großen Teil von Norikum und Ostfranken. Als jener das erfuhr, demütigte er in eigner Person sie alle so kräftig, daß er auch Kinder und Knaben nach dem Schwerte zu messen befahl und alle, die größer als dieses Maß befunden wurden, das Haupt verlieren mußten.[1] Aus dieser Tat entstand ein anderes viel größeres und herrlicheres Ereignis. Als nämlich der heiligste Großvater eurer Herrlichkeit das Leben verließ, waren etliche Riesen, wie nach der Schrift sie wegen des Zornes Gottes von den Söhnen Seth mit Töchtern Kains gezeugt sind, aufgebläht durch den Geist des Hochmuts, und ohne Zweifel denen zu vergleichen, die sprachen: „Was haben wir denn Teils an David oder Erbe am Sohn Isais?" Diese verachteten seine untadelhaften Erben und suchten jeder für sich die Herrschaft des Reiches sich anzumaßen und die Krone zu tragen. Da widersprachen einige vom mittleren Adel auf göttlichen Antrieb, weil der ruhmreiche Kaiser Karl einst die Feinde der Christen nach Schwerteslänge gemessen habe, und deshalb, so lange von seinem Stamme einer sich finde, der Schwertes Länge habe, dieser über die Franken, vielmehr über ganz Germanien herrschen müsse, und jene teuflische Partei wurde, wie vom Blitze getroffen, auseinander getrieben. Karl aber wurde nach dem Sieg

---

[1] Dasselbe wird von Chlothar erzählt.

über die auswärtigen Feinde von den Seinigen mit listigem
aber doch vergeblichem Trug umgarnt. Als er nämlich von
den Slaven nach Regensburg zurückgekehrt war, wurde er
von seinem Sohn, den ihm ein Kebsweib geboren hatte,
und der von seiner Mutter mit bedenklichem Vorzeichen
den Namen des glorreichen Pippin erhalten hatte, fast gefangen und so viel an ihm lag, dem Tod überantwortet.
Das wurde auf folgende Weise entdeckt. Als er die Großen
in der Peterskirche versammelt und über den Mord des
Kaisers mit ihnen beratschlagt hatte, ließ er nach Beendigung der Beratung, da ihm nichts sicher genug schien,
nachforschen, ob auch irgendwo jemand in den Winkeln
oder unter den Altären verborgen wäre; und siehe, sowie
sie befürchtet hatten, fanden sie einen Geistlichen unter
einem Altar verborgen. Diesen ergriffen sie und nötigten
ihn zu schwören, daß er ihr Unternehmen nicht verraten
wolle. Um sein Leben zu retten, weigerte er sich nicht, zu
beschwören, was sie ihm vorsprachen. Aber als sie sich
entfernt hatten, beachtete er den gottlosen Eid nicht und
eilte zur Pfalz. Hier drang er mit der größten Schwierigkeit
durch sieben Schlösser und Türen endlich zum Schlafge-
mach des Kaisers, und an die Tür klopfend, setzte er den
wachsamen Karl in das größte Erstaunen, wer es doch
wage, ihn zu dieser Zeit zu beunruhigen. Doch befahl er
den Frauen, die zum Dienst der Königin und seiner Töchter ihn zu begleiten pflegten, daß sie hinausgingen, um
zuzusehen, wer an der Tür sei und was er verlange. Sie
gingen hinaus und da sie eine ganz geringe Person sahen,
verschlossen sie die Tür und suchten mit unendlichem
Glächter, das Gesicht mit ihren Kleidern bedeckend, in
den Ecken des Gemaches sich zu verbergen. Aber der kluge
Kaiser, dem nichts auf der Erde zu entgehen vermochte,

fragte die Frauen genau, was sie hätten oder wer an die Türe klopfe. Und da ihm geantwortet wurde, es sei ein abgeschorener, dummer, verrückter Schelm, der nur Hemd und Hosen anhabe und unverzüglich den Kaiser zu sprechen verlange, da befahl er, ihn hereinzuführen. Dieser nun fiel ihm gleich zu Füßen und eröffnete ihm alles der Reihe nach. Jene Verschwörer aber, die nichts weniger erwarteten, wurden vor der dritten Stunde des Tages alle mit der verdienten Strafe belegt oder in die Verbannung geschickt. Auch der bucklige Zwerg Pippin wurde unbarmherzig gegeißelt, geschoren, und zur Strafe auf einige Zeit in das Kloster des heiligen Gallus geschickt, das unter allen Orten des weiten Reiches am ärmsten und kleinsten zu sein schien. Nicht lange nachher wollten einige der Ersten unter den Franken Hand an den König legen. Da ihm dieses keineswegs verborgen blieb und er sie doch ungerne zu Grunde richten wollte, weil sie bei gutem Willen dem Christenvolk ein starker Schutz sein konnten, schickte er Gesandte an denselben Pippin, um ihn zu fragen, was er mit ihnen machen solle. Diese fanden ihn mit den älteren Brüdern im Garten, während die jüngeren durch wichtigere Geschäfte abgehalten wurden, damit geschäftigt, Nesseln und anderes Unkraut mit einer Hacke auszujäten, damit die guten Kräuter um so besser wachsen könnten, und hier meldeten sie ihm die Ursache ihrer Ankunft. Da seufzte er tief, wie ja die Schwachen gewöhnlich leichter wie die Starken aufzuregen sind, und erwiderte: „Wenn Karl meinen Rat wollte, so würde er mich nicht zu solcher Schmach verdammen. Ich habe ihm nichts zu melden. Sagt ihm, womit ihr mich beschäftigt fandet." Jene aber fürchteten sich, ohne eine bestimmte Antwort zu dem schrecklichen Kaiser zurückzukehren, und fragten ihn wiederholt, was sie ihrem Herrn melden sollten. Da sagte er grollend: „Nichts anderes lasse ich ihm melden, als was ich tue. Das unnütze Kraut reiße ich aus, damit die brauchbaren Kräuter besser wachsen können." Sie zogen also traurig ab, als ob sie nichts Vernünftiges mitbrächten. Da sie aber zum Kaiser kamen und befragt wurden, was sie brächten, klagten sie, daß sie für einen so weiten Weg nicht einmal um ein einziges Wort klüger heimkämen. Als nun der kluge Kaiser sie nach der Reihe fragte, wo sie ihn gefunden hätten und womit beschäftigt, und was er ihnen geantwortet habe, da sprachen sie: „Auf einem Bauerndreifuß saß er und bearbeitete mit einer Hacke ein Gemüsebeet, und als wir ihm den Grund unserer Reise vortrugen, konnten wir mit unsern dringenden Bitten nur diese Antwort von ihm erlangen. Nichts anderes, sagte er, lasse ich ihm melden, als was ich tue. Die unnützen Kräuter reiße ich aus, damit die brauchbaren desto besser wachsen können. Als das der mit Scharfsinn und Weisheit hoch begabte Kaiser gehört hatte, rieb er sich die Ohren, atmete heftig auf und sagte: „Eine verständige Antwort habt ihr mir gebracht, treffliche Vasallen." Während jene also Gefahr für ihr Leben fürchteten, brachte er den Inhalt der Worte zur Ausführung, nahm alle jene Verschwörer aus der Mitte der Lebenden hinweg und verlieh die vorher von jenen Unfruchtbaren eingenommenen Plätze seinen Getreuen, um zu wachsen und sich auszubreiten. Einen der Feinde aber, der sich den höchsten Berg im Frankenland, von dem er das ganze Land übersehen konnte, zum Besitze ausersehen hatte, ließ er auf demselben Berge an einem hohen Galgen aufknüpfen; seinen Bastard Pippin aber ließ er sich erwählen, wie er sein Leben zubringen wolle. Als ihm die Wahl freigestellt war, ersah er sich einen Platz in einem damals hochansehnlichen Kloster, das jetzt, ich weiß nicht durch welche Veranlassung, zerstört ist. Denn darüber werde ich nicht eher etwas schreiben, als bis ich euer Bernhardchen mit einem Schwerte umgürtet erblicken werde. Der großherzige Karl war aber unwillig, daß man ihn veranlaßt hatte, selbst gegen jene barbarischen Völker auszuziehen, da der erste beste seiner Anführer ihm dazu hinreichend im Stande schien. Und mit Recht, wie ich durch die Tat eines meiner Landsleute beweisen werde. Es war ein Mann aus dem Thurgau, nach seinem Namen schon ein bedeutender Teil eines furchtbaren Heeres – er hieß nämlich Eishere – so groß gewachsen, daß man hätte glauben können er sei vom Stamme Enaks, wenn die Entfernung von Zeit und Ort nicht so groß wäre. So oft er an den Thurfluß kam, wenn dieser durch Gießbäche angeschwollen war, und er nun sein gewaltiges Roß, ich will nicht sagen in die Strömung, aber auch gar nicht in das Wasser zu treiben vermochte, so nahm er es beim Zügel, zog es schwimmend hinterher, und sagte: „Beim Herrn Gallus, du sollst mir folgen, du magst wollen oder nicht." Als dieser also im Gefolge des Kaisers mitzog, mähte er die Böhmen, Wilzen und Avaren wie das Gras auf der Wiese und spießte sie wie Vögelchen auf seine Lanze. Siegreich nach Hause gekehrt, sagte er, wenn ihn die Müßiggänger fragten, wie es ihm im Wendenlande gefallen habe, ärgerlich darüber und voll Verachtung der Feinde: „Was soll ich mit diesen Kröten? Sieben oder acht oder auch neun von ihnen spießte ich auf meine Lanze, und trug sie hierhin und dorthin, weiß nicht, was sie dazu brummten; unnützer Weise haben der Herr König und wir uns gegen solche Würmer abgemüht."

[..]

(17) Nach dem Tod des siegreichen Pippin, als wie-

derum die Longobarden Rom beunruhigten, machte sich
der unbezwingliche Karl, obgleich diesseits der Alpen sehr
in Anspruch genommen, doch unverdrossen an den Zug
nach Italien, und empfing nach einem unblutigen Krieg
oder durch freiwillige Kapitulation die Unterwerfung der
Longobarden, und der Sicherheit halber, damit sie niemals
vom Reich der Franken sich trennten oder irgendwie die
Grenzen des heiligen Petrus verletzten, nahm er die Tochter des Longobardenfürsten Desiderius zur Frau. Da er
aber nach nicht langer Zeit dieselbe, weil sie kränklich und
zur Fortpflanzung seines Namens untauglich war, nach
dem Rat der weisesten Priester wie eine Tote verließ, ver-
bündete der erzürnte Vater sich seine Landesleute durch
einen Eid, und selbst in den Mauern Pavias sich verschan-
zend, beschloß er, den unbesiegbaren Karl zu bekriegen.
Es hatte sich aber einige Jahre vorher ereignet, daß einer
seiner vornehmsten Fürsten namens Otkar den Zorn des
furchtbaren Kaisers erregt hatte, und deshalb zu demselben Desiderius seine Zuflucht nahm. Da sie nun von der
Ankunft des furchtbaren Karl hörten, stiegen sie auf einen
sehr hohen Turm, von wo sie weit und breit die Ankom-
menden erblicken konnten. Als der Troß sich zeigte, der
rüstiger war als bei den Zügen des Darius oder Julius,
sprach Desiderius zum Otkar: „Ist Karl etwa in dem
großen Heer?" Aber er antwortete: „Noch nicht." Als aber
jener das Volksheer sah, gesammelt aus dem ganzen weiten
Reich, da sprach er mit Zuversicht zum Otkar: „Gewiß
zieht Karl mit diesen Truppen." Otkar erwiderte: „Aber
noch nicht, und auch jetzt noch nicht." Da fing jener an
sich zu ängstigen und zu sagen: „Was werden wir tun,
wenn noch mehr mit ihm kommen?" Otkar sprach: „Du
wirst schon sehen, wie jener ankommt; was aber aus uns

werden soll, das weiß ich nicht." Und siehe, als sie noch
sprachen, erschien sein Hausgesinde, das niemals müßige.
„Das ist Karl", sagte er. Aber Otkar sprach: „Noch nicht
und auch jetzt noch nicht." Darauf zeigten sich die Bischöfe
und Äbte und Geistlichen, die Kapläne mit ihren Begleitern. Als er die gesehen hatte, stammelte der Fürst, dem
Licht schon feind und nur nach dem Tod verlangend, mit
Mühe noch die Worte: „Laßt uns hinabsteigen und unter
der Erde uns verbergen vor dem Zorn eines so furchtbaren
Feindes." Otkar aber, der die Macht und Kriegsrüstung
des unvergleichlichen Karl einst kennen gelernt hatte und
in besseren Zeiten sehr vertraut damit war, erwiderte voll
Angst: „Wenn du siehst, daß auf den Gefilden ein eisernes
Saatfeld starrt, und daß der Po und Tessin mit dunkeln
eisenschwarzen Meereswogen gegen die Mauern der Stadt
anschwellen, dann ist Aussicht da, daß Karl kommt." Er
hatte noch nicht ausgesprochen, als zuerst gegen Westen es
anfing sich zu zeigen wie eine finstere Wolke, die den hell-
sten Tag in furchtbare Schatten hüllt. Aber als der Kaiser
allmählich näher kam, glänzte den Belagerten von dem
Schein der Waffen ein Tag entgegen, der für sie finsterer
war als jede Nacht. Da sah man ihn auch selbst, den eisernen Karl, behelmt mit eisernem Helm, die Arme mit eisernen Schienen bedeckt, die eiserne Brust und die breiten
Schultern geschützt durch einen eisernen Harnisch; die
Linke trug die hoch aufgerichtete eiserne Lanze, denn die
Rechte war immer für den siegreichen Stahl bereit; die
Schenkel, die von anderen, um leichter zu Pferde steigen zu
können, ohne Harnisch gelassen zu werden pflegen, waren
bei ihm nach außen mit eisernen Schuppen bedeckt. Die
eisernen Beinschienen brauche ich nicht zu erwähnen,
denn die waren im ganzen Heer gebräuchlich. An seinem

Schild sah man nichts als Eisen. Auch sein Pferd war eisern
an Farbe und Mut. Diese Rüstung hatten alle, die ihm
voran zogen, die ihm zur Seite gingen, und alle, die ihm
nachfolgten und überhaupt die ganze Heeresmacht nach
Kräften nachgeahmt. Eisen erfüllte die Felder und Wege;
die Strahlen der Sonne wurden zurückgeworfen durch den
Glanz des Eisens; dem kalten Eisen bezeugte das vor
Schrecken erstarrte Volk seine Huldigung, das Entsetzen
vor dem glänzenden Eisen drang tief unter die Erde. O das
Eisen! Wehe das Eisen! so tönte das verworrene Geschrei
der Einwohner. Durch das Eisen erzitterte die Festigkeit
der Mauern und der Mut der Jünglinge verging vor dem
Eisen der Alten. Dies also, was ich, der stotternde und
zahnlose, nicht, wie es sich ziemte, mit trägerem Um-
schweif weitläufig zu schildern versucht habe, sah der
wahrheitsliebende Späher Otkar mit raschem Blick und
sprach zum Desiderius: „Siehe da hast du ihn, nach dem
du so eifrig geforscht hast.“ Und mit den Worten stürzte er
fast leblos zusammen. Aber weil an dem Tag die Bewohner
der Stadt entweder aus Verblendung oder weil sie noch auf
Widerstand hofften, ihn nicht hatten aufnehmen wollen,
sprach der kunstreiche Karl zu seinem Heer: „Laßt uns
heute etwas Denkwürdiges unternehmen, damit man uns
nicht tadele, weil wir den Tag müßig verbracht haben.
Laßt uns schnell eine Kapelle bauen, worin wir den Gottesdienst feiern können, wenn sie uns nicht bald aufmachen.“
Und als er dies gesagt hatte, zerstreuten sich alle; diese
brachten Kalk und Steine, jene Holz und Farben, und
trugen es den Künstlern zu, die ihn immer begleiteten.
Dieselben errichteten von der vierten Stunde des Tages bis
zur zwölften eine solche Kirche mit Mauern und Dächern,
künstlichem Tafelwerk und Gemälden, mit Hilfe der jun-

gen Mannschaft und des Kriegsheeres, daß heute noch niemand, der sie sieht, glauben möchte, man habe sie anders als in Jahresfrist vollenden können. Mit welcher Leichtigkeit er aber am folgenden Tag, als einige der Bürger die Tore öffnen wollten, andere aber, freilich vergeblich, Widerstand leisten, oder, die Wahrheit zu sagen, sich einschließen wollten, ohne Blutvergießen nur durch seine Klugheit die Stadt überwunden, eingenommen und sich angeeignet habe, das überlasse ich denen zu schreiben, welche eure Hoheit nicht aus Liebe, sondern nur um des Gewinnes willen begleiten. Von dort weiter rückend kam Karl zur Stadt Furiolana, die diejenigen, die sich auf ihre Gelehrsamkeit viel einbilden, Forum Julii nennen. Es traf sich aber, daß zur selben Zeit der Bischof der Stadt, oder um den modernen Ausdruck zu gebrauchen, der Patriarch sich dem Ende seines Lebens nahte. Als der fromme Karl zu ihm eilte, um ihn zu besuchen, damit er ihm seinen Nachfolger namentlich bezeichne, seufzte jener voll Gottesfurcht aus tiefster Brust, und sprach: „Herr, dieses Bistum, das ich lange ohne Nutzen oder geistigen Fortschritt innegehabt habe, überlasse ich der göttlichen Verfügung und eurer Anordnung, damit nicht der unentfliehbare und unbestechliche Richter urteile, daß ich zu der Masse der Sünden, die ich bei meinen Lebzeiten anhäufte, noch nach dem Tode etwas hinzugefügt habe." Das verstand der weise Karl so, daß er ihn nicht mit Unrecht den alten Vätern für vergleichbar hielt. Da aber Karl, der rüstigste unter den rüstigen Franken, eine Zeitlang in der Gegend verweilte, um nach dem Hinscheiden des Bischofs einen würdigen Nachfolger einzusetzen, sagte er an einem Festtag nach der Feier der Messe zu den Seinigen: „Um nicht in Müßiggang hinlebend der Trägheit zu verfallen, laßt

uns auf die Jagd gehen, bis wir etwas erbeuten, und laßt
uns alle in der Kleidung ausziehen, die wir jetzt anhaben."
Es war aber ein kalter Regentag und Karl selbst hatte
einen Schafspelz an, von nicht viel größerem Wert als jener
Rock des heiligen Martin, mit dem angetan dieser mit
bloßen Armen Gott das Opfer unter göttlichem Beifall dar-
gebracht haben soll. Die Übrigen aber gingen, da Festtage
waren und sie von Padua kamen, wohin eben Venetianer
von jenseits des Meeres alle Reichtümer des Ostens gebracht hatten, gekleidet in Häute phönizischer Vögel, mit
Seide eingefaßt, dann geziert mit der Hals- und Rücken-
haut und den Schwanzfedern der Pfauen, und mit tyrischem Purpur oder orangefarbenen Streifen verbrämt, andere in Marder- und Hermelinfälle gehüllt: so durchstreif-
ten sie den Wald, und zerfetzt von Baumzweigen und
Dornen, vom Regen durchnäßt, auch durch das Blut der
Tiere und die frisch abgezogenen Felle beschmutzt kehrten
sie zurück. Da sprach der listige Karl: „Keiner von uns
ziehe seinen Pelz aus, bis wir zum Schlafen gehen, damit er
auf unserm Leibe besser trocknen könne." Nach diesem
Befehl sorgte jeder mehr für seinen Leib als für sein Kleid,
und suchte sich überall ein Feuer, um sich zu wärmen. Bald
aber zurückkehrend und im Dienst des Herrn bis tief in die
Nacht verweilend, wurden sie endlich nach Haus entlassen.
Und da sie nun anfingen die feinen Felle oder noch dünne-
ren Seidenstoffe auszuziehen, waren die Brüche der Falten
und Nähte weithin hörbar, wie wenn man dürres Holz
zerbricht, und sie seufzten und jammerten und klagten,
daß sie so viel Geld an einem einzigen Tage verloren hatten. Vom Kaiser aber erhielten sie den Befehl, sich ihm am
nächsten Tage wieder in denselben Pelzen vorzustellen.
Das geschah und da nun alle nicht in schönen Gewändern

glänzten, sondern von Lumpen und farbloser Häßlichkeit starrten, sprach der verständige Karl zu seinem Kämmerer: „Nimm jetzt meinen Pelz in die Hand und bring ihn uns vor Augen." Unversehrt und glänzend weiß wurde er gebracht, und er nahm ihn in die Hand; zeigte ihn allen Anwesenden und sprach: „O ihr Törichtsten aller Menschen, welches Pelzwerk ist nun kostbarer und nützlicher, meines hier, das ich für einen Schilling gekauft habe, oder eure da, die nicht nur Pfunde, sondern viele Talente gekostet haben?" Da schlugen sie die Augen nieder und vermochten nicht seinen schrecklichen Anblick zu ertragen. Diesem Beispiel folgte euer frommer Vater nicht einmal, sondern sein ganzes Leben hindurch so sehr, daß niemand, der seiner Bekanntschaft und Belehrung würdig erschien, im Heereszug gegen den Feind etwas anderes als seine Waffen, nebst wollener und linnener Kleidung, zu tragen wagte. Wenn aber einer der niederen, dem diese Zucht unbekannt war, etwas von Seide, Gold oder Silber an sich trug und ihm zufällig begegnete, so ging er mit solchen Worten gescholten oder vielmehr gebessert und weiser von dannen: „O du doppelt Goldener! o du Silberner! o du ganz Purpurner! Armer, Unglücklicher, reichte es dir nicht hin, wenn du allein durch das Los des Krieges untergingst, daß du auch die Schätze, womit du deine Seele retten könntest, in die Hände der Feinde liefern mußt, damit dafür die Götzen der Heiden verehrt werden?" Wie sehr aber von seiner Kindheit bis zum siebzigsten Jahr der unbesiegbare Ludwig am Eisen seine Freude hatte, welches Schauspiel von Eisen er den Gesandten der Nordmannen vorführte, das will ich euch, obgleich ihr es schon wißt, ins Gedächtnis rufen.

Anhang

1. *Einhard* und *Imma*

Das innige Verhältnis, das zwischen Einhard und Kaiser Karl bestand, genügte der Sage nicht: sie schlang noch ein engeres Band um beide. Jedermann kennt die anmutige Geschichte von Einhards Liebe zu Karls Tochter Imma; in Gedichten und Dramen, in gebundener und ungebundener Rede ist sie unzählige Male wiedererzählt worden und hat so den Charakter und die Geltung einer wirklichen Tatsache erlangt. Es mag daher wohl am Platz sein, die ursprüngliche Form dieser Erzählung wiederzugeben und deren geschichtlichen Wert zu prüfen.

Ein Mönch aus dem Kloster Lorsch, der ums Jahr 1170 eine Sammlung der auf sein Kloster bezüglichen Urkunden anlegte, nahm bei der Erwähnung der von Einhard gemachten Schenkung die Gelegenheit wahr, die mündliche Überlieferung aufzuschreiben, und berichtet danach folgendes:

Wir wollen erzählen, wie es von unsern Vorfahren überliefert wurde, wie die Zelle Michelstadt unter diesem allerfrommsten Fürsten durch den ehrwürdigen Einhard an das Kloster Lauresham gekommen ist. Einhard also, der Erzkaplan und Geheimschreiber Kaiser Karls, wurde am königlichen Hof wegen seiner löblichen Dienste von allen

geliebt, noch heißer aber liebte ihn des Kaisers Tochter, die
Imma hieß und mit dem König der Griechen verlobt war.
Einige Zeit war verflossen: von Tag zu Tag wuchs ihre
gegenseitige Liebe. Aber die Furcht vor dem Zorn des Königs hielt sie ab, die Gefahr einer Zusammenkunft zu
wagen. Jedoch heftige Liebe siegte über alles. Denn wie der
treffliche Mann von unheilbarer Liebe glühte und es nicht
wagte, sich durch einen Boten dem Ohr der Jungfrau zu
nähern, faßte er zuletzt Mut und schlich sich zu nächtlicher
Stunde heimlich zu dem Gemach des Mädchens. Hier
klopfte er ganz leise an und wurde eingelassen, da er vor-
gab, an die Jungfrau eine Botschaft vom König bestellen zu
müssen: aber sobald er mit ihr allein war, wechselten sie
vertrauliche Reden und küßten sich und folgten dem
Drang ihrer Liebe. Als er nun vor Anbruch des Tages in
nächtlicher Stille auf dem Weg wieder zurückkehren
wollte, auf dem er gekommen war, da merkte er, daß inzwischen wider Erwarten viel Schnee gefallen war, daher
wagte er nun nicht fortzugehen, um nicht durch seine
männlichen Fußtapfen verraten zu werden; die Angst, die
ihnen das Bewußtsein des Geschehenen verursachte, zwang
sie beide drinnen zu bleiben. Als sie nun in ihrer Not berie-
ten, was zu tun sei, da kam das schöne Fräulein, das die
Liebe kühn machte, auf den Einfall, sie wollte sich bücken
und ihn auf ihren Rücken nehmen, ihn so noch vor Tag bis
in die Nähe seiner Wohnung tragen, ihn hier niedersetzen
und dann ihren Fußtapfen folgend wieder zurückgehen.

Die Nacht hatte der Kaiser, wie man glaubt nach einer
besonderen göttlichen Fügung, schlaflos zugebracht; in der
ersten Dämmerung stand er auf, und als er aus seinem
Palast schaute, sah er, wie seine Tochter unter der Last
daherschwankte und kaum gehen konnte, dann, sobald sie

ihre Bürde an dem bestimmten Ort abgesetzt hatte, schnellen Schrittes zurückkehrte. Der Kaiser sah sich, von Staunen wie von Schmerz ergriffen, den ganzen Hergang an, beherrschte sich jedoch, da er glaubte, das geschehe nicht ohne göttliche Fügung, und bewahrte einstweilen Stillschweigen über das, was er gesehen hatte.

Unterdessen fand Einhard, dem das Gewissen schlug und der wohl wußte, daß die Sache auf keinen Fall seinem Herrn, dem Könige, lange verborgen bleiben könne, endlich Rat in seiner Not: er trat vor den Kaiser und bat ihn auf den Knien um seine Entlassung, indem er erklärte, seine vielen und großen Dienste würden nicht belohnt, wie sie es verdienten. Auf diese Worte hin ließ der Kaiser sich nicht das Geringste anmerken und schwieg lange; hierauf versicherte er ihm, er werde seiner Bitte baldmöglichst entsprechen und setzte einen Tag fest, an dem er sogleich seine Räte, die Großen seines Reiches und die übrigen, die ihm selbst nahe standen, zu sich kommen ließ. Als diese glänzende Versammlung seiner verschiedenen Würdenträger sich eingefunden hatte, begann er, seine kaiserliche Majestät sei durch die unwürdige Verbindung seiner Tochter mit seinem Schreiber schwer beschimpft und mißachtet worden, und er empfinde darüber keinen geringen Zorn. Als die Versammelten ganz erstaunt darüber waren und einige wegen der Größe und Neuheit der Sache noch zweifeln wollten, legte sie ihnen der König deutlicher dar, indem er von Anfang an erzählte, was er mit eigenen Augen gesehen hatte, und forderte sie dann auf, ihm ihren Rat und ihre Meinung darüber kundzugeben. Sie aber waren ganz geteilt in ihren Ansichten und brachten mancherlei harte Strafen gegen den vor, der sich so vergangen hatte; die einen meinten, ihm gebühre eine Strafe ohne

Beispiel, andere, er müsse in die Verbannung geschickt werden, noch andere wollten, daß so oder so gegen ihn verfahren werde, wie einem jeden in dem Augenblick gerade zu Mute war. Einige von ihnen aber zeigten sich um so milder, je verständiger sie waren, und nachdem sie sich untereinander besprochen hatten, baten sie den König inständig, er möge die Sache selbst prüfen und nach der ihm von Gott verliehenen Weisheit eine Entscheidung treffen. Als nun der König die Gesinnung der einzelnen gegen ihn erwogen und überlegt hatte, welcher von den verschiedenen Meinungen er folgen sollte, sprach er zu ihnen: „Ihr wißt wohl, wie das Menschengeschlecht vielen Zufällen ausgesetzt ist, und wie es sich häufig ereignet, daß Dinge, die einen üblen Anfang genommen haben, doch noch zum Guten ausgeschlagen sind. Darum muß man nicht verzweifeln, sondern auch in dieser Sache, die durch ihre Neuheit und Bedeutsamkeit über unseren Verstand geht, die Gnade der göttlichen Vorsehung erwarten und erbitten, die sich niemals in dem irrt, was sie geschehen läßt, und auch das Übel zum Guten zu leiten weiß. Darum will ich denn auch wegen dieser betrübenden Tat über meinen Schreiber keine Strafen verhängen, durch die die Schande meiner Tochter eher vergrößert als verringert werden würde. Vielmehr halten wir es für würdiger und dem Ruhm unseres Reiches angemessener, es ihrer Jugend zu verzeihen, sie durch eine rechtmäßige Ehe zu verbinden und so eine schimpfliche Sache mit dem Schleier der Ehrbarkeit zu bedecken."

Als der König so seinen Spruch verkündet hatte, entstand eine große Freude und die Größe seiner Seele und seine Milde wurden laut gepriesen. Inzwischen wurde Einhard hereingerufen. Als er eintrat, grüßte ihn der König unerwartet freundlich und sprach zu ihm mit heiterer Miene: „Schon neulich ist eure Klage uns zu Ohren gekommen, daß wir eure Dienste nicht so, wie es einem Könige geziemte, belohnt hätten. Aber um die Wahrheit zu sagen, fällt die Hauptschuld daran auf eure eigene Nachlässigkeit: denn obwohl ich so viele und schwere Geschäfte allein zu tragen habe, so würde ich doch, hätte ich etwas von eurem Wunsche früher erfahren, für eure Dienste euch gebührend geehrt haben. Jedoch, um nicht viele Worte zu machen, ich werde euren Beschwerden durch das köstlichste Geschenk abhelfen, und damit ich euch auch ferner wie bisher mir treu und wohlgesinnt finden möge, will ich euch meine Tochter in eure Gewalt und zur Frau geben, eure Trägerin nämlich, die schon neulich hochgeschürzt sich willfährig genug zeigte, euer Joch auf sich zu nehmen."

Sofort wurde auf Befehl des Königs seine Tochter, umgeben von zahlreichem Gefolge, hereingeführt und hocherrötend aus der Hand des Vaters in die Hand Einhards gegeben, samt einer reichen Aussteuer, mehreren Landgütern, zahllosen goldenen und silbernen Geschenken und noch vielen anderen kostbaren Gerätschaften. Dem allen fügte noch der allerfrommste Kaiser Ludwig nach dem Tod seines Vaters die Besitzungen Michelstadt und Mulenheim, das jetzt Seligenstat heißt, durch nachfolgende Schenkungsurkunde hinzu.

So der Mönch aus dem Kloster Lorsch. Ungewiß in welcher Zeit, aber ohne Zweifel erst nach dem zwölften Jahrhundert setzten die Mönche von Seligenstadt dem berühmten Stifter ihres Klosters eine Grabschrift, in der es heißt:

„Einhard war ich, im Leben berühmt durch der Könige Liebe,

Und vom mächtigen Karl hatt' ich die Tochter zum Weib."

Auf einem, wie die Sprache zeigt, noch weit späteren Grab-
stein, der sich jetzt im Schloß in Erbach befindet, stehen
die Worte:

Egenhard der erste Herr zu Erbach Imma sein Gemahel des
großen Kaisers Caroli eheliche Dochter dise haben Kloster Seligenstadt am Meyn gebaut und gestift Ao DCCCXXIX.

Auf dieses Zeugnis oder eine damit in Verbindung stehende
Überlieferung sich stützend führen die Grafen von Erbach
ihren Ursprung auf Einhard und Karl den Großen zurück.
    Die ganze Erzählung klingt so schön und romantisch,
daß es kein Wunder ist, wenn sie gerne geglaubt und nur
mit Widerstreben der kalten und schonungslosen Kritik
geopfert wird. Vor dieser aber kann sie in Wahrheit nicht
als Geschichte, sondern nur als Sage bestehen.
    Durch Briefe und Urkunden ist es festgestellt, daß Ein-
hard eine Imma zum Weibe hatte, falsch aber, daß diese
eine Tochter Kaiser Karls gewesen ist. Zwar hat man auch
das beweisen wollen und dafür angeführt, daß sie vom Abt
Lupus von Ferrières[1] in einem Brief an Einhard eine
„hochedele Frau" (nobilissima femina) genannt wird. Man
darf wohl daraus schließen, daß Imma von vornehmer
Geburt war, obschon der Ausdruck sich auch auf ihren
edlen Charakter beziehen könnte, aber zu dem Schluß,
daß sie eine Kaiserstochter war, ist man dadurch keineswegs berechtigt, zumal da Lupus hinreichende Veranlassung gehabt hätte, diesen Umstand in seinem Trostbrief zu
erwähnen. Ein zweiter Beweisgrund, der vorgebracht wird,

---

[1] Zwischen Orleans und Sens gelegen.

ist nicht besser: wenn nämlich Einhard in einem Brief an Kaiser Lothar diesen seine Neffenheit (denn so wäre der Ausdruck neptitas zu übersetzen) nennt, so ist daran zu erinnern, daß dieses Wort in der lateinischen Sprache sowohl des Altertums als auch des Mittelalters sonst nicht ein einziges Mal vorkommt und daß gerade bei Einhard, der sich durch die Reinheit seines Lateins auszeichnet, der Gebrauch und die Erfindung eines so barbarischen Wortes ganz unerklärlich wäre. Aus diesen Gründen hat schon Leibniz pietatem statt neptitatem zu lesen vorgeschlagen und die vielen ähnlichen Schreibfehler, die sich sonst in der einzigen Handschrift von Einhards Briefen finden, rechtfertigen diese Veränderung vollkommen.

So entbehrt die Angabe des Lorscher Mönchs jedes beistimmenden Zeugnisses. Aber schlagende Gründe sprechen auch dagegen. Daß Einhard nicht Karls Kaplan war, ist schon erwähnt worden. Der Irrtum lag nahe, da er nach seinem später erfolgten Eintritt in den geistlichen Stand den Genter Annalen zufolge allerdings Kaiser Ludwigs Kaplan wurde[1]. Mit Einhards eigener Angabe (Leben Karls Kap. 19) im Widerspruch läßt die Erzählung die Imma mit dem byzantinischen Kaiser verlobt sein, während dies doch Hruotrud war. Überhaupt aber liegt auch nicht das geringste Zeugnis dafür vor, daß Karl eine Tochter namens Imma hatte.

Den Schlüssel, um die Entstehung der Sage zu erklären, mag uns folgendes geben. Wir wissen, daß Hruotrud, die dem griechischen Kaiser bestimmte älteste Tochter Karls, vom Grafen Rorich einen Sohn Ludwig hatte, der im Jahre

---

[1] Siehe dagegen die Einleitung. Diese Annalen sind eine ganz unzuverlässige Kompilation aus späterer Zeit.

867 als Abt von St. Denis starb. Seine zweite Tochter Bertha gebar dem Angilbert zwei Söhne, den Harnid und den
Geschichtschreiber Nithard, wie dieser selbst berichtet.
Dieses Verhältnis scheint durch die nachträgliche Einwilli-
gung Karls sich in eine rechtmäßige Ehe verwandelt zu
haben.[1] Die Sage, die in diesen Liebschaften einen will-
kommenen Stoff vorfand, vermengte die wirklichen Tatsa-
chen und übertrug sie auf unsern Einhard. Das lag um so
näher, als Angilbert in einem ganz ähnlichen, wenn nicht
noch näheren Verhältnis zum Kaiser stand wie Einhard.
Von seiner frühesten Kindheit an lebte er an Karls Hof,
war wie jener sein Umgang im täglichen Leben, sein treuer
und brauchbarer Diener in öffentlichen Geschäften, der
Genosse seiner wissenschaftlichen Bestrebungen. Wie Einhard war er ein Schüler Alkuins, der ihn sehr hoch stellte,
und stand jenem, was gelehrte Bildung betrifft, wohl kaum
etwas nach. Wie groß sein Wissensdrang war, kann man
daraus schließen, daß er sich eine Bibliothek von zweihun-
dert Handschriften angelegt hatte. Auch er benutzte sein
schriftstellerisches Talent dazu, seinen Erzieher und
Freund zu verherrlichen: in einem epischen Gedicht, von
dem jedoch nur Bruchstücke auf uns gekommen sind, be-
sang er das Leben Karls, der ihn darum seinen Homer
nannte.[2] Wie Einhard endlich trat auch er später in den
geistlichen Stand; im Jahr 794 kennen wir ihn als Abt des
mit großem Aufwand von ihm erbauten Klosters von St.

[1] Das war nicht möglich, da Angilbert Abt war, als das Verhältnis
begann, und dem geistlichen Stande angehörte; auch wider-
spricht es dem Kap. 19 oben. Aber Karl duldete das offenkun-
dige Verhältnis. W.
[2] Es ist mindestens sehr zweifelhaft, ob dieses Gedicht, wie Pertz
annahm, von Angilbert ist.

Riquier. Er starb am 18. Februar 814, überlebte also seinen Herrn und Freund nur wenige Tage.

Diese kurzen Angaben genügen, um die Verwechselung
Einhards und Angilberts in der Sage begreiflich zu finden.
Ebenso wenig kann befremden, daß ein Zug aus dem
Leben der Hruotrod auf ihre Schwester übertragen wurde.
Aber auch die romantische Ausschmückung der Ge-
schichte, die nächtliche Zusammenkunft, der verhängnis-
volle Schneefall, das Tragen des Geliebten, die Entdeckung
und Verzeihung des Kaisers läßt sich auf die Quelle zurückführen. Schon ein halbes Jahrhundert zuvor nämlich,
ehe der Lorscher Mönch schrieb, finden wir genau dieselbe
Erzählung, nur in derberer Form, bei dem englischen Geschichtschreiber Wilhelm von Malmesbury wieder, dessen
Chronik mit dem Jahr 1127 schließt. Bei ihm ist es Kaiser
Heinrich III., der die Liebe seiner Schwester zu einem
Geistlichen entdeckt, ihnen aber verzeiht und sie, die schon
vorher den Schleier genommen hatte, zur Äbtissin, ihn
zum Bischof macht.

Je sicherer somit die Sage von der Liebe Einhards zu
Kaiser Karls Tochter sich auf die einzelnen geschichtlichen
Züge, die ihr zugrunde liegen, zurückführen läßt, um so
mehr stellt sie sich in ihrer Gesamtheit als ein Gebilde der
Dichtung dar. Den Glauben an Einhard, als Schwieger-
sohn Karls des Großen, muß man aufgeben, sein inniger
Freund und treuer Diener bleibt er nur um so gewisser.

2. Kaiser Karls Traum

Die nachstehende merkwürdige Erzählung ist von einem
Mainzer Mönch in der zweiten Hälfte des neunten Jahr-

hunderts abgefaßt worden. Durch die eingestreuten, zum
Teil kaum mehr zu erklärenden, althochdeutschen Worte
enthält sie noch einen ganz besonderen Wert in sprachli-
cher Beziehung.

„Karl damals Kaiser der Franken und verschiedener
Völker pflegte nachts immer Licht und Schreibtafel um
sich zu haben, mochte er sich nun zu Hause oder auswärts
befinden; und was er im Traum Merkwürdiges sah, das
mußte sofort aufgeschrieben werden, damit es nicht seinem
Gedächtnis entfalle. Als er nun einmal nachts seine Glieder
auf dem Lager zur Ruhe ausgestreckt und sich dem
Schlummer hingegeben hatte, sah er einen Menschen zu
sich kommen, der ein blankes Schwert in der Hand hielt.
Als er diesen furchtsam fragte, wer er sei und woher er
komme, bekam er von ihm folgendes zur Antwort: „Nimm
dieses Schwert, das dir von Gott als Geschenk übersandt
wird, lies die darauf verzeichnete Schrift und behalte sie
fest im Gedächtnis, denn sie wird zur bestimmten Zeit erfüllt werden."

Als er es empfangen hatte und es sich genau ansah,
erblickte er darauf vier Stellen beschrieben. Auf der ersten
Stelle zunächst, dem Griff des Schwertes, stand geschrieben
Raht, auf der zweiten aber Radoleiba, auf der dritten
Nasg, auf der vierten an der Spitze des Schwertes Enti.

Sobald er nun aufwachte, ließ er sich Licht und Schreibtafel bringen und zeichnete diese Worte in ihrer Reihen-
folge auf. Am nächsten Morgen aber, als nach Kirchen-
brauch die Horen gesungen waren und er seine Andacht
verrichtet hatte, teilte er allen seinen Großen, die zugegen
waren, den Traum mit, den er gehabt hatte, und forderte
sie auf, ihm denselben zu deuten. Als hierauf alle stumm
blieben, gab ihm einer, der für weiser als die übrigen galt,

mit Namen Einhart, zur Antwort und sprach: „Herr Kaiser, derjenige, der Euch jenes Schwert geschickt hat, wird Euch auch, während wir verstummen, den Sinn der darauf verzeichneten Schrift offenbaren." Da sprach der Kaiser: „Wenn ihr hören wollt, so wollen wir euch die Bedeutung jener Worte erklären, wie sie uns nach der Fähigkeit unseres geringen Talents richtig erscheint. Unter dem uns von Gott geschickten Schwert wird wohl nicht unpassend die uns von ihm übertragene Gewalt verstanden, denn im Vertrauen auf seine Hilfe haben wir sehr viele Feinde mit den Waffen unter unsere Herrschaft gebracht. Und weil nun jetzt nach der Unterwerfung unserer Feinde mehr als zu den Zeiten unserer Väter große Fruchtbarkeit herrscht, so wird das durch das erste Wort auf dem Schwert angedeutet, Raht, das heißt Überfluß an allen Dingen.[1] Was aber an der zweiten Stelle geschrieben war, Radoleiba[2], das glauben wir, wird sich nach unserem Hintritt von dieser Welt zu den Zeiten unserer Söhne erfüllen, daß nämlich nicht mehr so großer Überfluß an Früchten herrscht und einige jetzt unterworfene Völkerschaften abfallen, das bedeutet Radoleiba in allem, was schnell abnehmen wird. Wenn aber auch sie gestorben sein werden, und ihre Söhne nach ihnen zu regieren angefangen haben, dann wird sein, was an der dritten Stelle geschrieben war, Nasg[3], denn sie

---

[1] Wir sagen jetzt Vorrat.

[2] In der niederdeutschen Form Radeleve bedeutet dieses Wort die Hinterlassenschaft an Gerade, d. h. der dem Weibe zufallenden fahrenden Habe. J. Grimm Rechtsaltert. S. 567. In unserm Fall muß aber offenbar eine allgemeinere, noch ältere Bedeutung angenommen werden.

[3] Dieses sonst unbekannte Wort scheint einen durch Raub (Naschen?) zusammengebrachten Schatz zu bedeuten.

werden wegen schmählichen Gewinns die Steuern erhöhen, die Fremden und Ausländer gewaltig unterdrücken und sich nicht darum kümmern, mit wie viel Verwirrung und Schande sie sich Reichtümer sammeln. Auch das Kirchengut, das von uns oder unseren Vorfahren den Geistlichen und Mönchen zum Dienst Gottes gegeben wurde, werden sie mit List oder Gewalt an sich reißen und es ihren Leuten zu Lehen geben, das bedeutet Nasg. Aber auch das, was an der Spitze des Schwertes geschrieben stand, Enti, kann auf zweierlei Art verstanden werden. Denn entweder wird dann das Ende der Welt sein oder das unseres Stammes, daß nämlich fortan von unserem Geschlecht keiner mehr im Volk der Franken herrschen wird.“

Ich habe es so aufgezeichnet, wie dies derjenige, der den Traum hatte, selbst auslegte, und der Abt Einhart es dem Mönch Rabanus, und dieser Rabanus als späterer Erzbischof (von Mainz) es vielen zu erzählen pflegte, zu denen auch ich gehöre.

Davon ist etliches in früheren Zeiten, anderes neuerdings in Erfüllung gegangen. Denn als der Kaiser Ludwig nach Karls Tode regierte, fielen die Bretonen und viele slavische Völkerschaften ab und Mangel suchte sein Reich in verschiedenen Gegenden heim. Nach seinem Tod fingen seine Söhne Lothar, Pippin und Ludwig an, in dem ihnen hinterlassenen Reich den Nasg zu vergrößern. Denn wie viele Klöster Pippin in Aquitanien ausplünderte und das Kirchengut und die Habe der Geistlichen und Mönche an sich riß und es an sein Gefolge gab, davon ließe sich nur zu viel erzählen. Auf ähnliche Weise verfuhr Lothar in Italien. Darüber liegt ein Brief vor, der zu den Zeiten seines Sohnes von allen Bischöfen der römischen Kirche an Ludwig, den König der Deutschen gerichtet war, der sich durch den

Bischof Witgar[1] erkundigt hatte, wie es mit dem Frieden der heil. römischen Kirche stehe. Dieses Schreiben befindet sich noch im Archiv von St. Martin (in Mainz) und es heißt darin unter anderem: „Die heil. römische Kirche und ihr Schutzherr und das gesamte Volk wird verletzt, ausgeplündert, zerrissen, erniedrigt, zu nichts herabgebracht."

---

[1] Von Augsburg.

Register
(nach Kapiteln)